D0233962

ERLANGER FORSCHUNGEN
Reihe B · Naturwissenschaften und Medizin · Band 19

Risiko in der Industriegesellschaft

Analysen, Vorsorge und Akzeptanz

Sieben Vorträge

von

EBERHARD FRANCK – GERHARD HOSEMANN –
GERT VON KORTZFLEISCH –
ERNST KUTSCHEIDT – HERMANN LÜBBE –
TRUTZ RENDTORFF – ORTWIN RENN

herausgegeben von

GERHARD HOSEMANN

Erlangen 1989

Die wissenschaftliche Buchreihe der ERLANGER FORSCHUNGEN wurde
gegründet mit Mitteln der Jubiläumsspende der Siemens AG Erlangen

CIP-Titelaufnahme der Deutschen Bibliothek

Risiko in der Industriegesellschaft: Analysen, Vorsorge und Akzeptanz:
sieben Vorträge / [Univ.-Bund Erlangen-Nürnberg e.V.].
Von Eberhard Franck ... Hrsg. von Gerhard Hosemann. –
Erlangen: Univ.-Bibliothek, 1989
  (Erlanger Forschungen: Reihe B, Naturwissenschaften und Medizin; Bd. 19)
  ISBN 3-922135-58-7
NE: Franck, Eberhard [Mitverf.]; Hosemann, Gerhard [Hrsg.];
  Universitätsbund < Erlangen; Nürnberg > ; Erlanger Forschungen / B

Verlag: Auslieferung:
Universitätsbund Erlangen-Nürnberg e.V.   Universitätsbibliothek Erlangen
Kochstr. 4, 8520 Erlangen   Universitätsstraße 4, 8520 Erlangen

Lasersatz : B. STORCK, Textverarbeitung, Baiersdorf
Druck: JUNGE & SOHN, Erlangen

ISBN: 3-922135-58-7
ISSN: 0174-6081

VORWORT

Die Friedrich-Alexander-Universität und der Universitätsbund Erlangen-Nürnberg führten in den vergangenen Jahren mehrere fachübergreifende Vortragsreihen durch, um zu drängenden Problemen der Gegenwart Stellung zu nehmen. Während sich die ersten vier Veranstaltungsfolgen mit grundlegenden Energiefragen unserer Zeit befaßten, sollte dieses Mal der Bogen weiter gespannt werden. Das quantitative und qualitative Wachstum in der Vergangenheit hat zum Teil den Blick dafür verstellt, daß es weder in der Natur, noch in der technischen Welt ein Leben ohne Risiko gibt. Nicht zuletzt die Katastrophe von Tschernobyl, mit deren Begleiterscheinungen sich der frühere Band B 17 befaßte, hat den Wunsch verstärkt, den möglichen Nutzen und Schaden der Technik angemessener als bisher abzuschätzen und zu beurteilen. Dies setzt zunächst verbesserte quantitative Methoden voraus. Noch wichtiger erscheint es aber dann, sich auch mit der bedachten oder unbedachten Inkaufnahme von Risiken auseinanderzusetzen. Dabei erkennt man, daß Risiken offensichtlich umso stärker empfunden werden, je sicherer man sich zuvor glaubte. Der Kern aller damit zusammenhängenden Überlegungen verbindet so den Bereich der als exakt bezeichneten Wissenschaften mit der universitas literarum. Dies soll schon der Untertitel des vorliegenden Bandes ausdrücken, der die Vorsorge und Akzeptanz gleichberechtigt neben die Analyse stellt.

Der Leser, der sich mit dem Themenkomplex "Risiko in der Industriegesellschaft" beschäftigen will, muß allerdings einige Mühe auf sich nehmen. Deshalb soll ihm eine Einführung den Zugang erleichtern und den inneren Zusammenhang der aus ganz unterschiedlicher Sicht verfaßten Arbeiten aufzeigen.

Dem Universitätsbund gebührt auch diesmal herzlicher Dank für sein Interesse und seine Unterstützung. Die Universitätsbibliothek ermöglicht es, die vorgetragenen Ideen in einem ansehnlichen Band festzuhalten, der den Leser zum Nachdenken und zu eigenen Überlegungen anregen soll.

Im Sommersemester 1989   Prof. Dr. N. Fiebiger

Präsident der Friedrich-Alexander-Universität
Erlangen - Nürnberg

Inhaltsverzeichnis

5

Den Risiken ausgeliefert ?

von

Hans G. Weidinger

Ein Leben ohne Risiken ist weder in der Natur noch in der Technik möglich. Die Frage nach dem mit der Technik verbundenen Risiko betrifft jeden einzelnen persönlich. Er erwartet vom Staat, daß er sich nicht darauf beschränkt Gefahren abzuwehren, sondern auch hilft, die Risiken zu mindern, die die ihm unentbehrliche Technik birgt.

Damit ist das Stichwort für den ersten der hier veröffentlichten Vorträge gefallen, der von H. LÜBBE unter dem Titel "*Risiko und Lebensbewältigung*" gehalten wurde. Versucht man das ebenso streng aufgebaute wie reich mit lebensnahen Beispielen versehene Referat auf einen Satz zu reduzieren, könnte man einen berühmten Ausspruch von E. Kant abwandeln, den dieser einst zur Rechtfertigung und wohl auch zur Feier der Aufklärung geprägt hatte: "Aufklärung ist der Ausgang des Menschen aus seiner selbst verschuldeten Unmündigkeit." So besehen lassen sich die Überlegungen von H. Lübbe zusammenfassen: Das heute in der Industriegesellschaft wie nie zuvor gesteigerte Sicherheitsverlangen ist die Folge der vom Menschen im Zuge eben jener Aufklärung bewußt gewollten und bedachten Mündigkeit und seiner Selbstbestimmung, die durch sein erworbenes Wissen und Können zustande gekommen ist. H. Lübbe löst diese Grundfeststellung in sieben Schritten auf, die die wesentlichen Grundbefindlichkeiten und Grundstrukturen der Industriegesellschaft soziologisch abfragen. Dabei läßt er ausdrücklich offen, ob das Lebensrisiko mit der Entwicklung der Industriegesellschaften objektiv zu- oder abgenommen hat, und das, obwohl sich in Einzelaspekten sehr wohl eine deutliche Verringerung von Risiken erkennen läßt. Aber dem Autor kommt es darauf an, daß man ein stark gesteigertes Sicherheitsbedürfnis in der Industriegesellschaft feststellen und begründen kann, ohne daß von einer objektiv festgestellten Veränderung des Lebensrisikos Gebrauch gemacht wird.

Diese Betrachtungsweise und ihr Ergebnis finden eine beachtenswerte Entsprechung in dem letzten Vortrag des Theologen T. RENDTORFF über "*Sorget nicht − seid klug! Anfragen zum Umgang mit Risiken in der Gesellschaft*". Während

H. Lübbe den Menschen sozusagen vor die Folgen seiner selbst gewollten und betriebenen Emanzipation stellt, fragt T. Rendtorff nach der Verantwortung des Menschen für die Schöpfung und nach der Stellung des Menschen in dieser Schöpfung und vor dem Urheber dieser Schöpfung, vor Gott. Er kommt dabei sehr unmißverständlich zu einem Ergebnis, das für manchen im Raum der christlichen Kirchen Aktiven zunächst recht erstaunlich, für manchen auch sehr unbequem klingen mag. Er stuft nämlich die heute vielerorts sehr gängig gewordene Forderung, daß der Mensch aufgerufen sei zur "Bewahrung der Schöpfung" schlicht als Hybris ein. So stellt er z.B. fest: "Die Bewahrung der Schöpfung ist in der Theologie als Lehre von der conservatio mundi eine Aussage über Gott und nicht eine Aussage über die Fähigkeit des Menschen, die Schöpfung entweder zu erhalten und zu bewahren oder eben zu zerstören". In konsequenter Weiterentwicklung dieses Grundbefindens warnt er dann auch ausdrücklich vor dem Gedanken, "daß die Situation, in der wir uns befinden, die verdiente Folge menschlicher Gottlosigkeit sei und die Zerstörung der Schöpfung deren folgerichtiges Ergebnis." Dies führt ihn schließlich zu der Aussage: "Die Hoffnung, daß die Menschheit allein durch eine moralische Kehrtwendung fundamentalen Stils vor dem Untergang gerettet werden könnte, ist nach Kriterien christlicher Theologie irrig, denn sie unterstellt, daß die conservatio mundi, die Bewahrung der Schöpfung, eine Funktion der moralischen Integrität der Menschheit, und allein von ihr abhängig sei."

Diese Feststellung hat nicht nur erhebliches Gewicht in sich selbst, sie erscheint auch von besonderer Bedeutung vor dem Ergebnis der Analysen von H. Lübbe, wonach das gesteigerte Sicherheitsbedürfnis in der modernen Industriegesellschaft das Ergebnis der emanzipatorischen Selbstverfügung des Menschen ist. Für manchen mag sich daraus ein scheinbar unlösbarer Widerspruch ergeben. Aber T. Rendtorff weist darauf hin: "Der theologisch entscheidende Gedanke ist dieser: Gott macht sich als Schöpfer und Erhalter der Welt unabhängig von den moralischen Urteilen und von der moralischen Beschaffenheit seines Geschöpfes, ..." Gerade aus solcher Einsicht erwächst nun aber auch die Möglichkeit, zu einem Vertrauen in die Schöpfung und in ihren Schöpfer, die unabhängig ist von der Moralität oder der Fehlbarkeit des Menschen. Anders ausgedrückt: Der Mensch wird durch Gottes Verantwortung für die gesamte Schöpfung befreit, um die seinen Kräften angemessenen Verantwortung tragen zu können.

T. Rendtorff macht deutlich, daß eine solche Haltung keineswegs passiv kritiklose Hinnahme der Lebensgeschicke und damit auch der Lebensrisiken meint. Nur müssen Lebensgeschick und Lebensrisiko ihren richtigen Stellenwert in Bezug auf Schöpfung und Schöpfer haben, in dem Sinne, daß die äußeren Lebensbedingungen eben keine letztgültigen Wirklichkeiten des Lebens darstellen. Deshalb gilt: "Dieses Vertrauen (auf Gott) begründet die entschiedene Unabhängigkeit von den fundamentalen Risiken des Lebens, aber nicht eine unmittelbare und darum törichte Handlungsanweisung für den praktischen Umgang mit diesen Risiken". Von diesem Grundverständnis her spricht sich T. Rendtorff dann sehr wohl und klar für eine Ethik aus, mittels derer eine Verständigung darüber zu erzielen ist, wie wir zu den Chancen und Gefahren einer hochentwickelten Zivilisation Stellung nehmen sollen. Diese Ethik muß die Grundlage dafür bilden, daß der Mensch sich um nüchterne und realistische Bewahrung und Erhaltung seiner natürlichen Umwelt bemüht. Das "seid klug!" hat damit einen doppelten Sinn. Einmal ruft es zum rechten Verhältnis des Geschöpfes zu seinem Schöpfer auf. Zum anderen verpflichtet er das Geschöpf zu verantwortlichem Handeln in dieser Schöpfung und Achtung vor den Mitgeschöpfen.

In eine solche doppelte Standortbestimmung fügen sich nun auch die Analysen H. Lübbes sinnvoll ein. Denn am Ende seines Vortrags stellt er fest: "Jedermann weiß freilich, daß die geschätzten und überwiegend genutzten Freiheiten moderner Lebensverbringung gerade nicht auf der sozialen Autarkie der Individuen oder kleiner Gruppen beruhen, ..." Man muß allerdings die Fortführung dieses Satzes: "... vielmehr auf den sozialen Sicherheiten wie sie einzig die moderne Gesellschaft über ihre politischen Institutionen zu gewährleisten vermag, ..." verlängern um die Feststellung, daß der Mensch letzte Aufgehobenheit niemals im Bereich des nur Geschöpflichen finden kann. Das spürt der Mensch wohl auch, und so erklärt sich das von H. Lübbe festgestellte wachsende Sicherheitsbedürfnis bei wachsender Autonomie auch als ein wachsendes Bedürfnis nach einer letzten Aufgehobenheit, die allerdings nur jenseits der Verfügbarkeiten des Menschen zu finden ist.

In diesen beiden Vorträgen kann der umschließende Rahmen für alle weiteren Betrachtungen gesehen werden, welche die Vielfältigkeiten und Zwiespältigkeiten des geschöpflichen Lebens des Menschen widerspiegeln.

Es bietet sich an, die Aussagen der anderen fünf Referate so zu ordnen, daß mit dem begonnen wird, was offensichtlich am deutlichsten und am sichersten in der Verfügung des Menschen steht. Das ist dort der Fall, wo ein Schaden so gut quantifizierbar ist, daß er in Geld ausdrückbar und bezahlbar wird. Davon handelt das Referat *"Risikobewertung in Technik und Wissenschaft"*, das der Vertreter der Versicherungswirtschaft, E. FRANCK, gehalten hat. Selbst ausgebildeter Physiker, versteht er es, das Quantifizierbare am Risiko in klare technisch-wirtschaftliche Zusammenhänge einzuordnen. Der wirtschaftliche Aspekt meint dabei eigentlich das betriebswirtschaftlich Erfaßbare. Der technische Aspekt meint das mathematisch Erfaßbare und damit ein berechenbares Risiko.

Dafür gibt es heute zwei Wege:

- Den induktiven Weg der empirischen Auswertung von Schadensstatistiken, der immer dann gangbar ist, wenn eine ausreichende Häufigkeit von Schadensereignissen vorliegt. Damit ist auch schon gesagt, daß Schadensgroßereignisse in der Regel so nicht erfaßt werden können. Dafür gibt es

- den deduktiven Weg der geplanten, vorausschauenden Risikoanalyse. Dazu liegen heute Erfahrungen, insbesondere aus der Raumfahrt und Kerntechnik, vor.

Bleibt man im Bereich des Quantifizierbaren, so ist es ganz natürlich, der Frage nach dem quantifizierbaren Risiko die Frage nach dem quantifizierbaren Nutzen gegenüberzustellen. Die Verbindung von beidem stellt ein außerordentlich nützliches und wirksames Instrumentarium dar, über dessen Anwendbarkeitsgrenzen man sich allerdings auch ausreichend Rechenschaft ablegen muß.

Daß diese Grenze überschritten wird, wenn man von einer betriebswirtschaftlichen zu einer volkswirtschaftlichen Betrachtung übergeht, darauf weist u.a. das Referat von G. HOSEMANN über *"Gefahrenabwehr und Risikominderung als Aufgabe der Technik"* hin, Die dort hergestellten Zusammenhänge betrachtet man am besten gemeinsam mit dem Vortrag von E. KUTSCHEIDT über *"Risiken der Technik als Rechtsfrage und Domäne von Verwaltung und Rechtsprechung"*.

Beiden ist gemeinsam, daß sie bevorzugt auf den objektivierbaren Teil des Risikos und seiner Eingrenzung abheben, der eine aus der Sicht des Technikers, der andere aus der Sicht des rechtsprechenden Juristen. In beiden Referaten wird sehr deutlich, daß natürlich die Fragen von Sicherheit und Risiko auch in der Industriegesellschaft weit über den Bereich des bezahlbaren Schadens hinausreichen. Der Schadensbegriff umfaßt hier die kausale Verletzung von allen Arten von Rechtsgütern, insbesondere auch die der freien, individuellen Lebensentfaltung, des Naturschutzes etc. Bleibt man zunächst im betriebswirtschaftlich übergeordneten, volkswirtschaftlichen Bereich, so gibt es, wie G. Hosemann zeigt, durchaus auch im volkswirtschaftlichen Verbund die Möglichkeit der Kosten-/Nutzenoptimierung. Tatsächlich sind aber die Bedürfnisse – und auch die Rechtsansprüche – einer offenen Gesellschaft wie der unseren, so komplex, daß eine volkswirtschaftliche Optimierung nur selten gelingen mag. Beide Referate sind sich darüber einig, daß das erforderliche Maß an Risikoabschätzung und Abgrenzung nur in Zusammenarbeit zwischen Naturwissenschaft und Technik auf der einen Seite und Legislative, Exekutive und Rechtsprechung auf der anderen Seite möglich ist. In jedem modernen Industriestaat haben sich in diesem Zusammenspiel komplexe Strukturen entwickelt, die eine mehrstufige Sicherheitsstrategie gewährleisten. Es ist nun aber sehr interessant, wie die beiden Autoren die Prioritäten in der eigentlichen Entscheidungsfindung doch verschieden betonen

So zeigt das Referat des Ingenieurs G. Hosemann sehr plastisch den heutigen Wissensstand zur Objektivierung und Quantifizierung von technischen Risiken sowie den hochentwickelten Stand der technischen Regeln als dem Rückgrat einer objektiven Sicherheitsvorsorge.

Das Referat des Juristen E. Kutscheidt mußte sich der Frage stellen, wie die heute allgemein bejahte Verantwortung des Staates in Fragen der Sicherheit von Technik durch die Rechtsordnung bewältigt werden kann. Dabei tritt bemerkenswerterweise hervor, daß der an sich für die wesentlichen Entscheidungen zuständige Gesetzgeber lediglich allgemeine Regelungen mit Hilfe von Generalklauseln und unbestimmten Rechtsbegriffen treffen kann. Die rechtliche Verantwortung für die Zulässigkeit risikobehafteter Vorhaben und Anwendungen hat sich dadurch auf die verwaltungsbehördlichen Verfahren verlagert. Auch die häufig zur Letztentscheidung angerufenen Gerichte können die Verwaltungsentscheidung grundsätzlich nur auf ihr rechtmäßiges Zustandekommen und ihre rechtliche Vertretbarkeit hin überprüfen. Auf diese Weise wird über die Zulässigkeit technischer Risiken heute von Rechts wegen in einem sehr differenzierten System entschieden, in dem Legislative, Exekutive, Judikative zusammenwirken. Ebenso differenziert ist die Rolle außerrechtlicher Regelwerke und Standards von Wissenschaft und Technik bei der Rechtsfindung im Einzelfall zu sehen. Wegen der Eigenständigkeit rechtlicher Begriffe und Maßstäbe für die Ermittlung technischer Risiken sowie für die Gefahrenabwehr und die Risikovorsorge hat der zur Entscheidung zuständige Jurist letztlich stets eine eigene Bewertung und Einzelfallbeurteilung vorzunehmen. Hierbei ist ihm bei jeder Entscheidung der im Verfassungsrecht festgelegte grundsätzliche Schutz von Leben, Gesundheit und Eigentum aufgegeben.

Daraus ergibt sich, daß in unserer Gesellschaftsordnung das letzte Wort oft im Gerichtsentscheid, also beim Juristen, gesucht wird.

Eine andere Frage ist, wie sich Risikobewältigung und Sicherheitsvorsorge "de facto" in einer Industriegesellschaft etablieren. Hierzu ist dem Referat von G. Hosemann zu entnehmen, daß einer verantwortungsbewußt arbeitenden Technik und insbesondere auch den Gremien, die die entsprechenden Sicherheitsregeln und -normen erstellen, doch wohl eine erhebliche "normative Kraft des Faktischen" zuzuordnen ist. Immerhin fordert G. Hosemann z.B.: "Der Inhalt der Normen ist an den Erfordernissen der Allgemeinheit orientiert".

Und wenn er gegen Ende seines Vortrages anführt:
"Man darf erwarten, daß diese Übertragung des Sachverstandes etwa auf ein Parlament nicht schlechter gelingt als vor Gericht", dann spricht aus diesem Satz doch wohl nicht nur das Selbstbewußtsein eines erfahrenen und verantwortungsvoll arbeitenden Technikers, sondern eben auch das Vertrauen in die Überzeugungskraft einer objektivierten Wahrnehmung.

Wer sich mit Sicherheitsvorsorge und Risikoabschätzung beschäftigt, kommt heute nicht mehr an der Frage vorbei, ob und in welchem Maße eine gesicherte Abschätzung von Technikfolgen möglich ist. Insbesondere dem Referat von G. von Kortzfleisch ist zu entnehmen, daß es dazu in der neueren Zeit bereits mehrfach erhebliche Anstrengungen gegeben hat. Große Hoffnungen werden heute vielerorts in die Möglichkeiten der Modellerstellung und Durchrechnung mit Hilfe leistungsfähiger Computersysteme gesetzt. Doch dem gleichen Referat ist auch zu entnehmen, daß die in solche Modellentwicklungen und Rechnungen gesetzten Erwartungen bis heute in der Regel schließlich doch enttäuscht wurden. Man erinnert sich dann der Tatsache, daß auch in der Vergangenheit, wie z.B. auch bei G. Hosemann erwähnt, hoch in der Verantwortung stehende Persönlichkeiten, wie etwa Napoleon, sich in der Einschätzung wichtiger neuer technischer Entwicklungen fundamental geirrt haben.

G. VON KORTZFLEISCH weist in seinem Referat *"Festlegen von technischen Fortschritten – Verantworten von Technikfolgen"* sicher zu Recht darauf hin, daß die Abschätzung von Technikfolgen nur dann einen Sinn hat, wenn sie den gesamten Lebensbereich einer Industriegesellschaft erfaßt. Er unterteilt diesen gesamten Lebensbereich in die drei Subsysteme "Technik und Wirtschaft", "Recht und Politik" und "Kultur und Religion" und stellt nun dar, daß für diese drei Sub-systeme kategorial verschiedene Ziele, Prinzipien und Maßstäbe gelten. Damit wird klar, daß die Abschätzung von Technikfolgen, wenn überhaupt, nur inter-disziplinär und interfakultativ und nur in der Zusammenarbeit von Wissenschaft und Politik zu lösen ist. Dies erfordert allerdings sowohl in der Wissenschaft als auch in der Zusammenarbeit zwischen Wissenschaft und Politik noch erhebliche Anstrengungen, nicht nur beim Willen zur Zusammenarbeit, sondern auch bei der Erarbeitung von Prinzipien und Kriterien einer solchen übergeordneten zu-sammenfassenden Analyse und Bewertung.

An dieser Stelle kommen nun Aspekte herein, die in den bis jetzt betrach-teten Referaten zwar gelegentlich anklangen, aber doch erst im Referat von U. RENN explizit ausgeführt wurden. Er berichtete über "*Risikowahrnehmung und Risikobewertung in der Gesellschaft*". Hier sind im wesentlichen psychologische und soziologische Untersuchungen zusammengestellt, welche die immer wieder beklagte Diskrepanz zwischen objektiver und subjektiver Risikowahrnehmung in einem neuen Licht erscheinen lassen. Das eigentlich Wichtige an dieser Dar-stellung ist wohl weniger die im Grunde bekannte, wenn auch mit interessanten Beobachtungen neu belegte Erkenntnis, daß jede Wahrnehmung einer starken subjektiven Filterung unterliegt, die natürlich vom Genotyp und Phänotyp des Wahrnehmenden abhängt.

Als das eigentliche Interessante an den wiedergegebenen Untersuchungen erscheint die Beobachtung, daß es zwischen einer wissenschaftlich optimierten Risikowahrnehmung und einer subjektiven Zurkenntnisnahme von Risiken sehr wohl vernünftige Korrelationen gibt, dergestalt, daß auch das subjektive Indivi-duum die sog. "Verlusterwartung" durchaus vergleichbar mit den objektiven Er-mittlungen zu sehen imstande ist. Allerdings ist die Entscheidung, die das Indivi-duum in Kenntnis einer quasi objektiven Risikoerwartung trifft, keine Entschei-dung für ein objektiv minimiertes Risiko.

Anders ausgedrückt: Der Mensch nimmt – und in vielen Fällen keineswegs unbewußt – erhöhte Risiken durchaus in Kauf, wenn sie seinem Lebensgefühl, seinen Lebenszielen, seinen Lebensvorstellungen entsprechen. Das wirft schwer-wiegende Fragen auf, auch für jede Risiko-Ethik. Denn zu leicht hört man im Bereich der Diskussion um eine angemessene Ethik für unsere Industriegesell-schaft die Behauptung, daß man unstrittig jedes Risiko minimieren müsse. Na-türlich kennen wir alle genügend Beispiele, wo dieses Prinzip ad absurdum ge-führt wird. Die mit solchen Entscheidungen verbundenen Wertmuster sind abhängig von dem biologischen und dem kulturellen Weg, den jeder einzelne von uns gegangen ist. Tatsächlich sind wir in unseren Traditionen alle diese Wege nicht allein gegangen, so daß in diesen Wertmustern durchaus tiefliegende Gemeinsamkeiten stecken. Aber es gibt natürlich auch das Selbstbestimmungsbedürfnis des Individuums, das nicht notwendigerweise von vornherein mit Individualegoismus gleichzusetzen ist.

O. Renn ist selbst bedacht genug, daß er die möglichen Fehlinterpretationen seiner Untersuchungsergebnisse auch sieht und davor warnt. So sagt er selbst: "Risikowahrnehmung ist kein Ersatz für rationale Politik". Daß andererseits jede Selbstverwirklichung ihre Grenze am Gemeinwohl findet, ist heute sicher genauso wahr, wie dies immer in der kulturellen Geschichte des Menschen wahr gewesen ist.

An dieser Stelle wird man nun zwangsläufig zurückgeführt zu den eingangs besprochenen Rahmenvorträgen dieses Zyklus. Subjektivität und Objektivität sind sich kreuzende Kraftlinien in allen Lebensbereichen. Im Bereich von Risikowahrnehmung und -vorsorge sind sie wahrlich zu einem Kreuz für unsere Gesellschaft geworden. Wenn es uns gelingen könnte, etwa im Sinne der Ausführungen von T. Rendtorff, unsere Einordnung wiederzufinden als Geschöpfe in einer Welt, in der ein über uns mächtiger Schöpfer über Werden und Vergehen herrscht, dann könnten wir auch unsere Selbstverwirklichung und Selbstfindung vernünftig leben. Dann würden wie auch nicht einfach nach Risikominimierung um ihrer selbst willen rufen, sondern hätten die innere Freiheit, Risiko auf uns zu nehmen, dort wo wir es zu unserer so verstandenen Selbstfindung unumgänglich brauchen. Dann gälte allemal noch, was H. Lübbe in seinem Eingangsreferat sagte: "Denn eines können wir heute nicht wissen: Was wir in Zukunft wissen werden." Aber wir könnten diesen Zustand ertragen und fruchtbar werden lassen.

Risiko und Lebensbewältigung

von

HERMANN LÜBBE

Die Komplementärthemen "Risiko" und "Sicherheit" beschäftigen gegenwärtig zuständige Wissenschaften mit rasch wachsender Intensität. Die Menge der Titel fachlicher wie außerfachlicher Literatur schwillt an und demonstriert die Aktualität der genannten Themen[1]. Hochschulen widmen ihnen interdisziplinäre Vorlesungsreihen[2]. Sogar zur Gelegenheit herausragender Universitätsjubiläen gilt es als passend, Symposien zu modernitätsspezifischen Unsicherheitserfahrungen auf den Veranstaltungskalender zu setzen[3]. Großforschungseinrichtungen und ihre Arbeitsgemeinschaften beschäftigen sich mit einschlägigen Fragen schon aus Betroffenheitsgründen. Für Industrien und ihre Verbände[4] einschließlich zugeordneter Berufsgenossenschaften[5] gilt das ohnehin.

Die Frage nach den Gründen der sich auffällig intensivierenden wissenschaftlichen und sonstigen fachlichen Befassung mit Sicherheits- und Risikoproblemen drängt sich auf, und ihre Beantwortung scheint trivial zu sein: "Sicherheit" wird thematisiert, weil in der Bevölkerung moderner Industriegesellschaften das Sicherheitsverlangen wächst. Und nicht weniger trivial scheint die Antwort auf die Zusatzfrage zu sein, wieso das der Fall ist –: im wortstark sich äußernden Sicherheitsverlangen reagiert die Bevölkerung auf die Erfahrung ob-

---

1   Zu grosser Publizität ist zum Beispiel, in Deutschland, jüngst Ulrich Becks Buch mit dem markanten Titel "Risikogesellschaft" gelangt (Ulrich Beck: Risikogesellschaft. Auf dem Weg in eine andere Moderne. Frankfurt a.M. 1986)

2   Im Sommersemester 1988 zum Beispiel die Eidgenössische Technische Hochschule Zürich in Verbund mit der Universität Zürich, gleichzeitig auch die Universität Erlangen-Nürnberg

3   So die Universität Köln zur Gelegenheit der Feiern zur 600. Wiederkehr des Jahres ihrer Erstgründung ein Symposium unter dem Titel "Leben ohne Risiko?"

4   cf. exemplarisch die Folienserie des Fonds der Chemischen Industrie 16: Sicherheit in der chemischen Industrie. Frankfurt am Main 1985

5   cf. exemplarisch das Heft Nr. 1/88, 1. Quartal "Sicherheitsreport" der Verwaltungs-Berufsgenossenschaft (Die Berufsgenossenschaft der Banken, Versicherungen, Verwaltungen, freien Berufe und besonderen Unternehmen)

jektiv zunehmender Risiken, denen sie in der modernen Gesellschaft ausgesetzt ist.

Bedürfte es der Nachweise, daß unsere moderne, industriegesellschaftsspezifische Lebensverbringung eine wie nie zuvor risikobedrohte Lebensverbringung ist? Jedem aufgeweckten Fernsehkind stünden heute Exempel als durchschlagende Belege zur Verfügung – die Großkatastrophe von Tschernobyl vor allem. Vor den folgenreichen Ereignissen des 26. April 1986 kannte außerhalb Kiews und seiner weiteren Umgebung den Namen dieses ukrainischen Ortes kaum einer. Seither ist sein Bekanntheitsgrad nicht geringer als der von Moskau, Paris oder London. Wieso denn auch nicht? In der Tat handelt es sich doch bei jenem Ereignis, das wir heute in metonymischer Verkürzung nach dem Ort des Geschehens zu benennen pflegen, um eine Industriekatastrophe außerordentlicher Größenordnung. Nach anfänglichem Zögern hatte sich ja auch in der sowjetischen Nachrichtenpolitik in der Tschernobyl-Sache das Prinzip "Glasnost" durchgesetzt, so daß wir die Information[6] wohl als zuverlässig beurteilen dürfen, die Katastrophe habe über 200 Schwerverletzte gekostet, dazu das Leben jener 31 braven Feuerwehrleute, die sich sogleich nach den ersten Explosionen bemühten, von den Mauern des zerstörten Gebäudes herab das höllische Feuer zu löschen. Über 30 Tote – : das sind immerhin Opfer in einer Zahl, wie wir sie sonst allenfalls beim Totalverlust eines durchschnittlich besetzten kleinen Verkehrsflugzeugs zu beklagen haben, bei Kenterunfällen von Fähren, bei Schlagwetterkatastrophen im Bergbau oder auch bei naturalen Erdbebenkatastrophen kleinerer Dimension. Kurz: Allein schon die Zahl der Unfalltoten mußte die ukrainische Industriekatastrophe zu einem in der Weltpresse berichtspflichtigen Ereignis machen.

Größer noch war die Publizitätsträchtigkeit anderer Konsequenzen der in den sowjetischen Medien zuerst so genannten "Havarie" von Tschernobyl. In einem Umkreis eines Radius von 30 km rund um die strahlende Schmelze erwies sich die Evakuierung der Bevölkerung als unumgänglich. Mehr als 116 000 Einwohner der hochkontaminierten Zone mußten ihre Wohn- und Arbeitsstätten verlassen. Die Katastrophe hatte somit einen nicht unerheblichen Anteil des Territoriums der Sowjetunion für einen beträchtlichen Zeitraum, der gesamthaft

---

6   Eine populäre Zusammenfassung aller in die USA gelangten Informationen bringt Mike Edwards: Chernobyl - One Year After. In: National Geographic Vol. 171, No. 5 (May 1987). pp. 633-653

ein paar Jahre umfassen dürfte, unbewohnbar gemacht, nämlich von den 22 Millionen Quadratkilometern dieses Großreichs mehr als 2800 Quadratkilometer – einen Anteil also, der sich immerhin bereits in der Größenordnung eines Bruchteils eines Promilles bewegt.

Selbstverständlich sind auch die materiellen Folgekosten der Katastrophe enorm. Produktionsausfall, Aufräumkosten, Kosten der Eindämmung und vor allem der Dekontaminierung summieren sich nach publizierten Schätzungen auf mehrere Milliarden Dollar. Das überbietet nach vorliegenden Schätzungen die Folgekosten beträchtlich, wie wir sie regelmäßig für die Landschaftsrekonstruktion in den Gebieten des Braunkohletageabbaus aufzuwenden haben, nämlich in Relation zur erzeugten Energiemenge.

Dic stärkste Beunruhigung hat aber, wie man sich erinnert, die atmosphärische Verfrachtung strahlender Partikel ausgelöst. Auch in großer Entfernung vom Unfallort blieben Kopfsalaternten unverkäuflich, jedenfalls rechts des Rheins; Abschußquoten bei Hirsch- und Rehbeständen mußten befürchteter Ungenießbarkeit des Wildfleisches wegen drastisch abgesenkt werden; leicht strahlende pulverisierte Milchverarbeitungsprodukte, in Güterzüge verfrachtet, wurden durch Bahnhofsbesetzungen an der Durchfahrt gehindert. Lebenserfahrungen im Umgang mit meßbar erhöhter Strahlungsintensität bei Nahrungsmitteln oder sonstigen Elementen unseres Lebensambientes existieren ja nicht, und die den Physikern vertrauten Maßeinheiten sind für den Laien zumeist ohne jede Aussagekraft. Aussagekräftig sind aber durchaus die Schätzungen über den Anstieg der Krebserkrankungsrate, den man als Spätfolge der Tschernobyl-Katastrophe in der Sowjetunion sowie im übrigen Europa möglicherweise befürchten muß. Nach der Natur der Sache schwanken hier die Schätzungen der Fachleute beträchtlich. "Estimates range from 5,000 to 75,000 Chernobyl-caused death."[7] Das ist in Relation zum Krebstotenanteil in der sowjetischen und übrigen europäischen Todesursachenstatistik natürlich eine geringe Zahl. Indessen repräsentieren, sagen wir, 25.000 zusätzliche Krebskranke ein ebenso mannigfaches menschliches Elend, von dessen Natur nahezu jedermann aus familiären oder nachbarschaftlichen Lebensbeziehungen eine Anschauung hat.

Allein schon das Stichwort "Tschernobyl", so scheint es, dürfte somit genügen, um die These von der objektiv wachsenden Risikobelastung unseres indu-

---

7   a.a.O. p. 641

striegesellschaftlichen Daseins zu erhärten. Dabei repräsentiert Tschernobyl nur den Prototyp jener technischen Katastrophen, von denen heute jeder aufgeschlossene Medienkonsument spontan mehrere aufzuzählen vermöchte – von Bhopal über Seveso bis nach Basel. Beim Chemieunfall von Bhopal war die Zahl der Unfalltoten sogar nahezu zwanzigmal so groß als in Tschernobyl, und man weiß, daß die Trinkwasserversorgung von Hunderttausenden von Rheinanwohnern nicht zuletzt über Uferfiltrate sichergestellt wird. Wie sollte da ein Chemieunfall am Oberrhein nicht massenhaft verunsichernd wirken, insbesondere im Anblick der Fischkadaver noch Dutzende von Kilometern flußabwärts?

Kurz: Im wachsenden Sicherheitsverlangen, so scheint es, spiegeln sich die objektiv wachsenden Lebensrisiken der Bevölkerung in der modernen Industriegesellschaft. Indessen: Die Plausibilität dieses Zusammenhangs ist in Wahrheit ein Schein. Wer die Lebensrisiken, die uns industriegesellschaftsspezifisch heute bedrohen, mit den Risiken des Lebens in industriell weniger entwickelten Gesellschaften, gar in vorindustriellen Gesellschaften vergleichen möchte, ist auf Vergleichsmaßstäbe angewiesen, und es ist keineswegs evident, was hier überhaupt, Kenntnis der zu vergleichenden Fakten voraussetzt, unter welchem Aspekt verglichen werden müßte.

Unterstellt man einmal, daß die durchschnittliche Lebenserwartung[8] Geborener ein aussagekraftiger Indikator für gewährleistete Lebenssicherheit wäre, so lebte unzweifelhaft die Bevölkerung moderner Industriegesellschaften sicherer als jemals zuvor Menschen gelebt haben. Ärztliche Kunst, pharmazeutische Produkte der chemischen Industrie, vor allem aber Hygiene, die ihrerseits wohlfahrtsabhängig ist, haben allein in gesundheitlicher Hinsicht menschliches Leben sicherer als jemals zuvor gemacht. In Abhängigkeit von Leistungen moderner Technik und Organisation sind wir heute auch vor Naturkatastrophen sicherer als in früheren Zeiten. In welcher Hinsicht existieren wir also heute riskanter? Die eingangs zitierten Industriekatastrophenfälle legen den Gedanken nahe, Opferzahlen singulärer Unfallereignisse miteinander zu vergleichen. Alsdann scheint sich in der Tat unwidersprechlich zu ergeben: Über zweitausend Tote in der Konsequenz eines banalen Rohrbruchs wie im Chemiewerk zu Bhopal – für einen solchen Vorgang wird man in der vorindustriellen Welt schwerlich ein

---

8   Wichtigste Zahlen bei Ursula Lehr: Gerontologie: Eine interdisziplinäre Wissenschaft. in: A. Kruse, U. Lehr, Chr. Rott (Hrsg.): Gerontologie - eine interdisziplinäre Wissenschaft. München 1987. pp. 4-18, bes. pp. 7ff.: "Demographische Entwicklungen als Herausforderung der Gerontologie"

Analogon finden. Andrerseits: Wie hätte man in diesem Zusammenhang die Tausenden von Opfern vorindustrieller Sturmflutkatastrophen begrifflich einzuordnen? Handelte es sich um Opfer naturaler Vorgänge, die beim Versuch, industriegesellschaftliche und vorindustrielle Lebensrisiken miteinander zu vergleichen, außer Betracht zu bleiben hätten? Oder handelt es sich um Opfer unangemessenen Vertrauens in die Sicherheit damaliger Deichbautechnik? Sind die exorbitanten Erdbebenopferzahlen vergangener Epochen natural oder zivilisatorisch, nämlich hausbau- und siedlungstechnisch bedingt[9]?

Man erkennt rasch: Es fehlen uns weitgehend die begrifflichen, theoretischen Instrumentarien, häufig auch die empirischen Daten, die es erlauben würden, die Lebenssicherheit industriegesellschaftlichen Daseins mit der Lebenssicherheit im älteren Zivilisationsepochen zu vergleichen. Zu aussagekräftigeren Vergleichsergebnissen könnte man kommen, wenn man mit einfachen, commonsense-fähigen Maßstäben industriegesellschaftsintern ältere und modernere Produktionsweisen unter Sicherheitsaspekten miteinander vergliche – also zum Beispiel mit dem harten Maßstab der Unfalltotenquote pro erzeugter Energieeinheit die Unfalträchtigkeit der Energieproduktion mittels Verbrennung fossiler Kohlenwasserstoffe mit der Unfalltrâchtigkeit der Energieerzeugung mittels Kernspaltungstechnik. Dieser Vergleich fiele natürlich, was der Erläuterung wohl nicht bedarf, zugunsten der Kernenergie aus. Wer das leugnet, pflegt die Vergleichbarkeit der hohen Zahl der Bergwerksunfallopfer, ohne die uns ja auch bei außerordentlichen sicherheitstechnischen Aufwendungen Energie aus Kohle gar nicht zur Verfügung stünde, mit der sehr geringen Zahl der unmittelbaren Kernenergieerzeugungsopfer zu leugnen. Es käme doch auf die Zahl der Strahlenopfer auch außerhalb der Produktionsstätten an – also zum Beispiel auf die erwähnten geschätzten Zahlen zusätzlicher Krebstoter als Folge erhöhter Strahlendosis, der wir uns alle nach der Tschernobyl-Katastrophe ausgesetzt finden[10]. Dem wäre dann entgegenzuhalten, daß die in diesem Vergleich favorisierte Nutzung fossiler Energie ja auch außerhalb der Stätten ihre Produktion langfristig gesehen gewichtige Sicherheitsprobleme aufwirft – bis hin zu den gegenwärtig

---

9   Als besonders sprechendes Exempel einer Kulturgeschichte technischer, organisatorischer, auch rechtlicher Reaktionen auf Bedrohung durch Elementarereignisse wäre auch die Geschichte des Umgangs mit der Lawinenbedrohung einschließlich unangemessenen Vertrauens in Verbauungsmaßnahmen und den Enttäuschungsfolgen im dennoch eintretenden Katastrophenfall. cf. dazu die Beiträge zum Kapitel "Sicherheit als öffentliches Anliegen, in: INTERPRAEVENT 1980. Band 4. Bad Ischl 1980. pp. 33-81

10 cf. Anm. 7

noch kaum abschätzbaren Folgen des von Verbrennungsvorgängen abhängigen Anstiegs des CO_2-Anteils unserer Atmosphäre.

Aber man muß ja die Kohleenergie nicht schätzen, wenn man die Kernenergie ablehnt. Genügt denn nicht, um sie abzulehnen, die durch ihre Nutzung inzwischen erhöhte und uns alle betreffende Strahlungsintensität? Es läge nahe, die Antwort auf diese Frage vom Ergebnis der Messung derjenigen zusätzlichen Strahlung abhängig zu machen, die die Menschen, sei es regional, sei es global, gegenüber natural bedingten Strahlendosen, denen sie ohnehin ausgesetzt sind, nunmehr infolge der Kernenergienutzung zu ertragen haben. Was solche Vergleiche anbetrifft, so ist bekanntlich der industrieabhängige Anteil der Strahlung, der wir täglich ausgesetzt sind, vernachlässigungsfähig gering[11], und für die einschlägige Risikominderung könnten wir durch regelmäßiges Lüften unserer Wohnungen und durch konsequenten Verzicht auf veraltete Leuchtzifferblätter sowie durch sparsamere Nutzung der Technik der Röntgendiagnostik ungleich mehr tun als durch den "sofortigen Ausstieg aus der Kernenergie". Ein bedeutender, sachkundiger und über viele Jahre hin kernenergiepolitisch einflußreich gewesener Physiker erlaubte sich sogar, Betrachtungen dieser Art zu folgender These zusammenzuziehen:" Selbst wenn es alle fünfzig Jahre oder alle zehn Jahre einen so großen Unfall wie Tschernobyl gäbe (das ist eine Annahme, die ich für pessimistisch halte), wäre die Kernenergie nicht gefährlicher (im Sinne von Unfall- oder Krankheitstoten pro Jahr) als andere Energiearten einschließlich der Sonnenenergie"[12].

Als Nicht-Fachmann habe ich in den aus den öffentlichen Debatten zitierten Streit-Fragen gar keine eigene, sachlich begründete Meinung. Der Sinn der fraglichen Meinungen in der Streit-Frage, ob wir denn in der modernen Zivilisation sicherer oder unsicherer als in früheren Zeiten lebten, war lediglich der, die Unentscheidbarkeit dieser Frage darzutun, solange die Maßstäbe einschlägiger

---

11 Bei einer Arbeitsschutz-Konferenz der Berufsgenossenschaft der chemischen Industrie, des Bundesarbeitgeberverbandes Chemie e.V., der Industriegewerkschaft Chemie-Papier-Keramik und des Verbandes der Chemischen Industrie e.V., die in Frankfurt a.M. am 24. Juni 1988 stattfand, war aus dem Mund von Experten zu hören, daß sich die Strahlenbelastung, der wir ohnehin ausgesetzt sind, durch die Tschernobyl-Katastrophe gesamthaft um den Faktor 1,002 vergrößert habe, was natürlich regional ungleich stärkere Belastungen und vor allem extraordinäre Belastungen durch Konzentrationsvorgänge in der Nahrungskette nicht ausschließt.

12 So, mit Stand vom 12.3.1988, in einem Vortrag vor Gremien einer politischen Partei Heinz Maier-Leibnitz: "Sind die Atomkraftwerke noch zu verantworten - wohin mit dem Atommüll?" Fehler und Pflichten in der Atomenergiedebatte. Manuskript p.8

Vergleiche ungeklärt sind. Soweit pragmatisch sinnvolle Vergleichsmaßstäbe
verfügbar sind, läßt sich schwerlich finden, daß wir mit unserer modernen Tech-
nikabhängigkeit riskanter als die Menschen in weniger industrialisierten Gesellschaften lebten. Das Gegenteil ist in wohldefinierbaren Hinsichten der Fall - von
der immer noch, vor allem bei den Frauen, wachsenden durchschnittlichen Lebenserwartung über unsere technisch und organisatorisch erhöhte Sicherheit vor
den Folgen von Naturkatastrophen bis hin zur Tatsache, daß die Zahl der Unfalltoten in Relation zur Zahl der Beschäftigten in Berufen, die traditionell tief in
vorindustrielle Zeiten zurückreichen, ungleich höher zu sein pflegt als die entsprechenden Zahlen in modernen Industrieberufen. Höchst gefährlich lebten
und leben insoweit insbesondere unsere Waldarbeiter. Die Aussicht eines Che-
miefacharbeiters, in seiner Berufsausübung zu Tode zu kommen, ist hingegen, in
der Schweiz, um mehr als das Achtzehnfache geringer als bei seinem Holzerkol-
legen[13].

Man erkennt: Die wachsende wissenschaftliche, auch publizistische Aktualität des Sicherheitsthemas kann ihren Grund nicht darin haben, daß die Bevölkerung in Abhängigkeit von Technik und Industrie riskanter als in früheren Ge-
sellschaftsformationen existierte. Wir verfügen gar nicht über die Maßstäbe, die
für komplexe Zusammenhänge Vergleiche früheren und modernen Lebens unter
Sicherheitsaspekten erlaubten. Wo sie im Detail zur Verfügung stehen und lebenspraktisch aussagekräftige Vergleiche gestatten, scheinen die Risiken der
Lebensverbringung heute eher geringer als früher zu sein. Wieso werden nichtsdestoweniger Sicherheitsanforderungen heute dringlicher als jemals zuvor gestellt und wieso hat unsere Risikoempfindlichkeit zugenommen? Das ist die Frage, zu deren Beantwortung ich hier einen kleinen Beitrag leisten möchte. Ich
möchte zu zeigen versuchen, daß die Intensität unseres Sicherheitsverlangens in
modernen Gesellschaften anwachsen muß, und zwar innerhalb ungewisser Grenzen ganz unabhängig von verfügbaren Antworten auf die Frage, wie es regional
oder global, berufsbranchenspezifisch oder im gemeinen Alltag, lebensstilabhän-
gig oder wissensabhängig um unsere Sicherheit bestellt sein mag. Es gibt Gründe, die unabhängig von den Ergebnissen objektivierender Risikoabschätzung unsere Bereitschaft zur Risikoakzeptanz mindern. Diese Gründe wirken, wie ich zu
zeigen versuchen werden, in Abhängigkeit von zivilisationsspezifischen Gegebenheiten modernen Lebens. Man darf diese Wirkungen entsprechend als irreversi-

---

13   cf. die einschlägige Statistik bei TH.Schneider: Grundgedanken und Methodik moderner
      Sicherheitsplanung. In: INTERPRAEVENT 1980. Band 1. Wels (OÖ) 1980. pp. 49-69, p. 50

bel einschätzen. Sie dürften durch Gutzureden nach dem Motto "Mut zum Risiko" überhaupt nicht beeinflußbar sein. Man wird sich auf sie einzustellen haben.

Um welche Gründe handelt es sich? Ich möchte mich hier darauf beschränken, sieben dieser Gründe in ihren Wirkungen auf Sicherheitsverlangen und Risikoakzeptanz plausibel zu machen. Ich kennzeichne diese Gründe zunächst und erläutere sie anschließend. Die Kennzeichnung allein mag nicht in jedem Fall Anschauung des Gemeinten verschaffen. Aber die sich anschließenden Erläuterungen sollten die wünschenswerten phänomenologischen Verdeutlichungen bringen.

Erstens. – Mit der Zunahme des relativen Anteils derjenigen Lebensvoraussetzungen, die zugleich unsere eigenen Hervorbringungen sind, sinkt die Bereitschaft zur klaglosen Hinnahme von Lebensrisiken.

Zweitens. – Risikoerfahrungen intensivieren sich mit der Zunahme der naturalen und sozialen Eingriffstiefe unseres technisch instrumentierten Handelns sowie mit der Zunahme unseres Wissens über das, was wir, indem wir, Technik nutzend, in zustimmungsfähigen Absichten handeln, außerdem noch anrichten.

Drittens. – Unsicherheitserfahrungen nehmen zu mit der Größenordnung zivilisationsspezifischer Erfahrungsverluste.

Viertens. – Unsicherheitserfahrungen nehmen zu mit zivilisationsspezifisch abnehmender Vorhersehbarkeit der Zukunft.

Fünftens. – Unsicherheitserfahrungen intensivieren sich in demselben Maße, in welchem der Informationsraum, der uns medial zugänglich ist, sich über den Handlungsraum, innerhalb dessen uns, individuell oder kollektiv, Dispositionsmöglichkeiten gegeben sind, hinaus erstreckt.

Sechsten. – Unsicherheitserfahrungen intensivieren sich mit nachlassender sozialer Kontrolle.

Siebtens. – Das Sicherheitsverlangen wächst mit der Höhe des erreichten technischen und sozialen Sicherheitsniveaus.

Dieser Kennzeichnung einiger wichtiger Gründe zunehmenden Sicherheitsverlangens einerseits und nachlassender Risikoakzeptanz andererseits füge ich jetzt deren Erläuterung an – zunächst also die Erläuterungen zum erstgenannten Grund absinkender Bereitschaft zur Hinnahme von Lebensrisiken bei Zunahme des relativen Anteils derjenigen Lebensvoraussetzungen, die zugleich unsere ei-

genen Hervorbringungen sind. – "Man kann die Menschen durch das Bewußtsein, durch die Religion, durch was man sonst will, von den Tieren unterscheiden", resümierten Karl Marx und Friedrich Engels traditionsreiche Versuche von
Philosophen und Theologen, die Sonderstellung des Menschen im Kosmos zu
charakterisieren. Der Sinn dieses Resümees ist, den Hintergrund herbeizu-
schaffen, vor dem Marx und Engels ihre eigene Charakteristik der Sonderstellung des Menschen hervorheben möchten. Sie lautet: Die Menschen "selbst fangen an, sich von den Tieren zu unterscheiden, sobald sie anfangen, ihre Lebens-
mittel zu produzieren"[14]. Der Mensch – das arbeitende Wesen: das wäre der
Sinn der zitierten Charakteristik bei common-sense-naher Interpretation. Aber
dieser Schlichtsinn wird von Marx und Engels alsbald durch das folgende Theorem überboten: Was die Menschen "sind, fällt also zusammen mit ihrer Produktion"[15]. Dieses anthropologische Theorem enthält in nuce eine Zivilisationstheo-
rie. Danach ist die Zivilisation ein Prozeß progressiver Verwandlung unserer
Lebensvoraussetzungen in Arbeitsprodukte, und am Ende dieses Prozesses,
wenn die gesellschaftliche Produktivkräfte voll "entfesselt" sein werden, wird der
Mensch von keinerlei Lebensvoraussetzungen mehr abhängig sein, die er nicht
selbst hervorgebracht hätte. Zu voller Selbstmacht befreit wird der Mensch zu
einem Wesen geworden sein, das "sein Dasein sich selbst verdankt"[16]. – Der hy-
perbolische Charakter solcher Formulierungen bedarf keiner Erläuterung. Man
hat aber Ursache anzunehmen, daß Marx sich hier nicht nur als Rhetoriker betätigen wollte. Das Theorem vom Zivilisationsprozeß als einem Prozeß humaner
Selbstermächtigung kraft schließlich vollendeter Transformation von Lebensvoraussetzungen in Arbeitsprodukte ist ontologisch ernstgemeint. Nichts belegt das
deutlicher als die Marxsche Prognose, in der Konsequenz vollendeter zivilisatorischer Selbstermächtigung werde schließlich auch jegliche Religion, als kulturelle
Form der Beziehung des Menschen auf seine indisponiblen Lebensvoraussetzungen, ihrer Gegenstandslosigkeit wegen absterben.

---

14   Karl Marx, Friedrich Engels: Die deutsche Ideologie. Kritik der neuesten deutschen
     Philosophie in ihren Repräsentanten Feuerbach, B. Bauer und Stirner und des deutschen
     Sozialismus in seinen verschiedenen Propheten (1845-1846). In: Karl Marx, Friedrich Engels:
     Werke. Band 3. pp. 9-530. p. 21

15   ibid.

16   Karl Marx: Nationalökonomie und Philosophie. Über den Zusammenhang der Nationalökono-
     mie mit Staat, Recht, Moral und bürgerlichem Leben (1844). In: Karl Marx: Die Frühschriften.
     Herausgegeben von Siegfried Landshut. Stuttgart 1953. pp. 225-316. p. 246

Wie auch immer: In der Übersteigerung der zitierten Hyperbolie hat wie kein anderer Marx den Zivilisationsprozeß quintessentiell durch jenen Vorgang gekennzeichnet, auf den es hier ankommen soll, nämlich durch den Vorgang der Transformation von Lebensvoraussetzungen in Resultate unserer eingenen Hervorbringung. Die Befindlichkeitswirkungen dieses Vorgangs sind kaum abschätzbar. Sie betreffen auch unsere Bereitschaft zur Akzeptanz von Lebensrisiken in elementarer Weise, und zwar bis in unsere Alltagslebenspraxis hinein. Unerwarteter Verlust des sehnlichst erwarteten Kindes zum Beispiel war bislang stets einer der Schicksalsschläge, die in ihrer Unverfügbarkeit hinzunehmen waren. Die rationale Form, sich zu ihnen in Beziehung zu setzen, war Religion −: Risikoakzeptanz als Sich-Fügen in Gottes unerforschlichen Ratschluß[17]. Eine ungleich größere Lebenslast hat evidenterweise demgegenüber jene moderne werdende Mutter zu tragen, die den Verdacht nicht ausschließen kann, sie habe ihr gleichfalls sehnlichst erwartetes Kind in der Folge des Eingriffs zur pränatalen Überprüfung seines Gesundheitszustandes verloren. Zu den außerordentlichen Fortschritten der Medizin gehören ja gegenwärtig auch die Fortschritte in dieser pränatalen Diagnostik, und der Anteil der werdenden Mütter wächst kontinuierlich, die sich der Möglichkeiten dieses Fortschritts bedienen[18] − zumeist freilich in der bedingten Absicht, einen Schwangerschaftsabbruch vornehmen zu lassen, sofern eine nicht therapiefähige Schädigung des Nasciturus festgestellt wird. Wird statt dessen die Geburt eines lebensfrischen, gesunden Kindes verheißen und verliert nun die werdende Mutter, wie es, wenn auch sehr selten, gelegentlich vorkommt, ihr Kind vorgeburtlich in der Folge des ärztlichen diagnostischen Eingriffs, so liegt auf der Hand, welche Konsequenzen veränderter Einstellung zum Kindesverlust sich ergeben müssen. Was die Betroffene früher als ein Ereignis aus Vorgängen unverfügbarer Natur ereilte, hat jetzt den Charakter einer Handlungsnebenfolge, in Bezug auf die sich die Frage ihrer Verantwortung stellt. Die Selbstanklagebereitschaft wächst. Mit Sätzen von der Form "Hätte ich doch nicht ... !" wird die eigene Sorgfalt, die einen den Arzt für die fragliche diagnostische Leistung in Anspruch nehmen ließ, in ihrem guten und vertretbaren Sinn in Frage gestellt. Und nicht selten wird aus solcher Selbst-

---

17   cf. dazu mein Buch "Religion nach der Aufklärung" (Graz, Wien, Köln 1986) bes. pp. 144ff.: "Kontingenz"

18   Karl Knörr: Pränatale Diagnostik - Klinik und Folgerungen. In: Odo Marquard, Hansjürgen Staudinger (Herausgeber): Anfang und Ende des menschlichen Lebens. Medizinethische Probleme. München, Paderborn 1987. pp. 24-36

anklagebereitschaft dann Anklagebereitschaft. Ein Verschulden des Arztes wird vermutet, ja unterstellt und dabei tunlichst beiseitegeschoben, daß nicht jegliches Unglück, zu dessen notwendigen Eintrittsbedingungen auch ein Handeln gehört, dem Handelnden allein schon deswegen als ein von ihm verschuldetes Unglück angelastet werden kann. Nicht, daß die Religion im Kontext solcher Lebensumstände gar keinen Ort mehr hätte. In letzter Instanz bleibt ja jedes Unglück eben ein Unglück ganz unabhängig von der Frage, ob es moralisch oder gar rechtlich einem handelnd beteiligten Subjekt zugerechnet werden kann oder nicht, das heißt es bleibt, nachdem es nun einmal eingetreten ist, ein Bestand von schlechthinniger Unverfügbarkeit und will, wenn anders das betroffene Subjekt seine Realitätsfähigkeit nicht verlieren will, als solcher angenommen sein. Vor diese religiöse Wirklichkeitsannahme schiebt sich nun aber die moralische, rechtliche und gegebenenfalls auch politische Validierung der einen betreffenden Wirklichkeit.

Das gilt über den exemplarisch vergegenwärtigten Fall hinaus heute in allem. Der Umkreis der Lebensvoraussetzungen, von denen wir uns abhängig wissen und für die es zugleich Verantwortlichkeiten gibt oder für die es Verantwortlichkeiten zu konstituieren gilt, expandiert zivilisationsspezifisch und der relative Anteil derjenigen Lebensvoraussetzungen nimmt ab, in Bezug auf die wir nicht nur in letzter Instanz, vielmehr auch schon in erster Instanz auf ihre religiöse Annahme verwiesen wären. Im allesumfassenden Extrem würde die fortschreitende Transformation von Lebensvoraussetzungen in unsere eigenen Hervorbringungen bedeuten, daß schließlich sogar der Unterschied, den es macht, ob wir überhaupt sind oder nicht vielmehr nicht sind, als ein moralisch, ja rechtlich verantwortungsbedürftiger Bestand angesehen und behandelt wird. Dieser Gedanke ist alles andere als fiktiv. Von der modernen Regelpraxis, im Anschluß an das diagnostisch festgestellte Vorliegen einer therapeutisch nicht behebbaren Schädigung des Nasciturus diesen abzutreiben, war schon die Rede. Aber auch insoweit bleibt selbstverständlich ärztliche Kunst sowohl als Diagnose wie als therapeutischer Eingriff grundsätzlich fehlbar, so daß es vorkommt, daß man sich, statt wie verheißen gesund, schwer geschädigt zur Welt gebracht findet. Analog kommt es auch vor, daß man, bei richtiger Diagnose einer vorliegenden Schädigung, absichtswidrig dennoch geboren wird, weil der ärztliche Versuch rechtzeitiger Verhinderung dessen kunstfehlerbedingt scheiterte. Solche Fälle sind gar nicht so selten, und entsprechend häufig sind inzwischen auch die Fälle, in denen geschädigt zur Welt gekommene Kinder, vertreten durch Eltern und

Anwalt, vorm Zivilrichter vom fehlbaren Arzt Ersatz für den Schaden begehren, den im Kontrast zum höheren Wert ihrer Nicht-Existenz die absichtswidrig zum Faktum gewordene eigene geschädigte Existenz repräsentiert[19]. Es beruhigt zu hören, daß, bis auf einen einzigen Fall in den USA, von unseren Gerichten eine haftrechtliche Verpflichtung zum Ersatz des Schadens der eigenen Existenz ("wrongful birth") zu Lasten beteiligter Ärzte regelmäßig nicht anerkannt worden ist[20]. Der archaischen Klage "Oh, wäre ich nie geboren!" verbleibt somit ihr Ort in jenem Lebenszusammenhang, zu dem wir uns einzig religiös noch verhalten können. Die Verwandlung der Frage, die man in Überbietung der literarisch vertrauten Alternative, zu sein oder nicht zu sein, als die Alternative, glücklich zu sein oder gar nicht zu sein, kennzeichnen könnte, in eine Rechtsfrage ist bislang nicht erfolgt. Immerhin aber pflegen unsere Zivilgerichte inzwischen in den skizzierten Fällen regelmäßig einen Anspruch auf Ersatz des Schadens der besonderen Aufwendungen anzuerkennen, die aus der Fristung der absichtswidrig geschädigt zur Welt gekommenen Existenz resultieren[21], und das sind Schäden, die sich doch einzig durch rechtzeitige Überführung der fraglichen Existenz in die Nicht-Existenz hätten vermeiden lassen.

So oder so: Der in Abhängigkeit von den Fortschritten der Reproduktionsmedizin ständig wachsende Anteil derjenigen Kinder, die als Wunschkinder oder gar nicht zur Welt kommen, ist ein besonders eindrückliches Exempel für die zivilisationsspezifische Transformation von Lebensvoraussetzungen und Lebenstatbeständen in Handlungsresultate, und es ist evident, wie in Abhängigkeit von diesem Vorgang sich die Bereitschaft zur Akzeptanz von Lebensrisiken – im skizzierten Fall die Selbstakzeptanz der nunmehr als Risiko wahrnehmbar gewordenen eigenen Existenz – mindern muß. Schlimme Folgen aus Handlungen sind ungleich weniger akzeptabel als schlimme Folgen aus Prozessen bloßer Natur, und der Zivilisationsprozeß, noch einmal, ist ein Prozeß der Verwandlung dieser in jene. Das wirkt sich irreversibel auf unser Risikoakzeptanzverhalten

---

19   cf. dazu Wolfgang Deucher: Die Haftung des Arztes für die unerwünschte Geburt eines Kindes ("wrongful birth"). Eine rechtsvergleichende Darstellung des amerikanischen und deutschen Rechts. Frankfurt am Main, Berlin, New York, Nancy 1984

20   Zu einem prominenten deutschen Fall, der bis zum Bundesgerichtshof gelangte, cf. NJW 1983, Heft 24, pp. 1371-1374 ("Kein Schadenersatzanspruch des Kindes aus dem Rechtsgrund 'wrongful life'")

21   So auch in dem in Anm. 20 zitierten Urteil

aus, und zwar ganz unabhängig von der Beantwortung der Frage, ob unser Leben industriegesellschaftunabhängig nun sicherer oder unsicherer geworden sei.

Zweitens, so hatte ich gesagt, intensiviert sich die Erfahrung, riskant zu existieren, und wächst komplementär dazu unser Sicherheitsverlangen mit der naturalen und sozialen Eingriffstiefe unseres technisch instrumentierten Handelns sowie mit der Zunahme des Wissens über unbeabsichtigte Handlungsnebenfolgen. Zunehmende naturale und soziale Eingriffstiefe unseres Handelns, mit der ja zugleich unsere reale wechselseitige Abhängigkeit vom Handeln anderer zunimmt, hat Autarkieverluste von Individuen und kleinen Gruppen zur Folge. Zivilisationsspezifisch intensiviert sich die Erfahrung der Abhängigkeit vom Handeln entfernter Anderer. Auch das wirkt sich irreversibel auf unsere Befindlichkeiten aus. Nicht nur gilt, daß schlimme Folgen aus Handlungen uns ungleich stärker berühren als schlimme Folgen aus Prozessen bloßer Natur. Es gilt auch, daß Risiken, denen wir in der Konsequenz der Handlungen anderer ausgesetzt sind, uns ungleich stärker berühren als Risiken, deren Verursachung wir uns selbst zuzuschreiben hätten. Entsprechend expandiert in der modernen Gesellschaft mit der Reichweite unserer realen Abhängigkeit von Handlungen anderer unser an die Adresse dieser anderen sich richtende Anspruch auf Gewährleistung unserer Sicherheit in dieser Abhängigkeit. Allein schon durch unsere Abhängigkeit vom modernen Straßenverkehr ist uns allen dieser Zusammenhang geläufig. Die Neigung zu Selbstvorwürfen bei selbstverschuldeten Blechschäden pflegt rasch zu erlöschen. Sind Dritte die Verursacher, so verlangen wir Schadenersatz gänzlich unabhängig von der moralischen und strafrechtlichen Qualität des schadensverursachenden Handelns der fraglichen Dritten, und die Rechtsordnung verschafft uns die Erfüllung dieses Verlangens. Die indirekten Abhängigkeitsverhältnisse, in die wir sozial durch die technische Evolution hineingeraten, verlangen zu unserer Entlastung von den entsprechend wachsenden Risiken, denen wir uns ausgesetzt finden, das Rechtsinstitut der abstrakten Gefährdungshaftung, ergänzt durch komplementäre Haftpflichtversicherungspflicht. Je ferner uns sozial die wachsende Menge derer steht, von deren Handlungen wir uns über technische und organisatorische Vermittlungszusammenhänge real abhängig oder betroffen wissen, um so weniger kann uns in diesen Sozialbeziehungen die moralische und sonstige Subjektivität handelnder Subjekte interessieren -: wir erwarten Sicherheitsgewährleistung und Risikoentlastung gegenüber allen

Gefahren, denen wir uns durch das Handeln Dritter ausgesetzt finden[22], wenn anders mit diesen Gefahren im Kausalzusammenhang des entsprechenden Handelns als "objektiver Möglichkeit"[23] gerechnet werden mußte.

Zivilisationsspezifisch nimmt also unser Sicherheitsverlangen in demselben Maße zu, in welchem wir uns als vom Handeln entfernter Dritter potentiell riskant betroffen wissen. Im herangezogenen Exempel modernen Straßenverkehrs hat dieses Wissen, unbeschadet des exorbitanten Schadensausmaßes, zu denen Verkehrsunfälle sich aufsummieren, längst Alltäglichkeitscharakter gewonnen. Aber auch die nicht alltäglichen, eingangs erwähnten industriellen Groß-Katastrophen gehören in diesen Zusammenhang. Ob in kognitiver Hinsicht zu Recht oder zu Unrecht: Im Tschernobyl-Fall haben sich Millionen als Betroffene[24] erfahren, und zumindest für die Betroffenen vor Ort hatte es sich ja in der Tat um

---

22   "Das Interesse immer breiterer Bevölkerungsschichten, die Folgen von Personen-, Sach- und Vermögensschäden, auch soweit sie nicht auf Verschulden Dritter beruhen, nicht ohne finanziellen Ausgleich zu akzeptieren, sondern soweit wie möglich durch Inanspruchnahme Dritter aufzuwiegen, wurde und wird gefördert durch ein breites Informationsangebot der Medien und Verbraucherschützer. Im politischen Raum hat diese Entwicklung eine deutliche Resonanz in einer zunehmenden verbraucherorientierten Gesetzgebung gefunden. Auch die Rechtssprechung hat sich diesem Trend nicht entzogen. Das reicht von der Erleichterung der haftungsrechtlichen Inanspruchnahme Dritter, beispielsweise durch die Umkehr der Beweislast, bis hin zur verschuldungsunabhängigen Gefährdungshaftung" − so der "Bericht des Vorstands" im Geschäftsbericht 1986/87 der Münchener Rückversicherungs-Gesellschaft über das 107. Geschäftsjahr vom 1. Juli 1986 bis 30. Juni 1987, pp. 9-51, p. 28

23   Zu diesem sowohl strafrechtlich wie versicherungspraktisch fundamentalen Begriff der "objektiven Möglichkeit" cf. den glanzvollen alten, sozusagen klassischen Aufsatz von J. von Kries: Über den Begriff der objektiven Möglichkeit und einige Anwendungen desselben. In: Vierteljahrsschrift für wissenschaftliche Philosophie. Hrsg. von R. Avenarius. Zwölfter Jahrgang. Leipzig 1988. pp. 179-240; 287-323; 393-428. − Im übrigen spiegeln sich die soeben erwähnten zivilisationsspezifisch steigenden Sicherheitsansprüche in der komplementären Geschichte der Entwicklung des Versicherungswesens. Zur Literatur dieses kultur- und wirtschaftsgeschichtlich überaus interessanten Vorgangs cf. exemplarisch: Ludwig Arps: Auf sicheren Pfeilern: Deutsche Versicherungswirtschaft vor 1914. Göttingen 1965. Ferner: Jean Halpérin: Les assurances en Suisse et dans le monde. Leur rôle dans l'evolution économique et sociale. Neuchâtel 1946. Ferner: Martin Scharlau: Die Entstehung neuer Versicherungszweige. Veröffentlichungen des Deutschen Vereins für Versicherungs-Wissenschaft. Hrsg. von Alfred Manes. Heft XLIII (ausgegeben Januar 1929). Berlin 1929 − zu den mathematikgeschichtlichen, näherhin statistikgeschichtlichen Voraussetzungen des Versicherungswesens cf. Steven M. Stigler: The History of Statistics. The Measurement of Uncertainty Before 1900. Cambridge (Mass.), London 1986

24   Das besondere dieses Falles wie strukturell analoger Fälle besteht nicht zuletzt darin, daß hier die Gruppe der Betroffenen ungleich größer ist als die Gruppe derer, die sich in einem unmittelbaren oder auch nur mittelbaren Sinne als Nutzer der industriellen Produktion zu betrachten haben, die dann in der Katastrophe endete. Ersichtlich haben für Risikogruppen, die nicht zugleich im skizzierten Sinne Nutzergruppen sind, Risiken eine ganz andere lebenspraktische Bedeutung.

eine Katastrophe singulären Ausmaßes gehandelt - von den mehr als 30 Unfalltoten über die Evakuierungsmaßnahmen, von denen eine Bevölkerung im Ausmaß der Einwohnerschaft einer kleinen Großstadt betroffen war, bis hin zu den
riesigen materiellen Folgekosten des Unglücks. Es ist gewiß richtig, daß auch in
früheren Epochen unserer Kulturgeschichte zivilisationsspezifische Tätigkeiten
Katastrophenfolgen außerordentlichen Ausmaßes nach sich gezogen haben. Für
die Desertifikation Nordafrikas in der Spätantike zum Beispiel gilt das[25]. Sie repräsentiert eine Zivilisationskatastrophe, die sich freilich über große Zeiträume
hin erstreckte. Aber der ungeheure Schaden, den hier und in anderen Fällen
Menschen durch ihre Kulturtätigkeit sich selber zugefügt haben, war als Hand-
lungsfolge gar nicht wahrnehmbar. Er wurde unter dem Schleier des Unwissens
bewirkt. Heute wissen wir demgegenüber in einem Ausmaß wie nie zuvor, was
wir, indem wir in guter Absicht tätig sind, überdies noch anrichten könnten, und
was wir gelegentlich tatsächlich anrichten, nimmt in seinen Schadensausmaßen in
Abhängigkeit von der technischen Evolution zu.

Eben das ist es doch, wird mancher finden, was diejenigen zu Recht geltend
machen, die unser wachsendes Sicherheitsverlangen mit den objektiv wachsenden Risiken begründen möchten, denen wir uns in der modernen Industriegesellschaft ausgesetzt finden. In der Tat: Mit der naturalen und sozialen Eingriffstiefe unseres technisch instrumentierten Handelns wächst tendenziell das
Ausmaß der Schäden im Katastrophenfall an. Aber das Schadensausmaß der
Katastrophen, die uns heute bedrohen, ist ja mit der Größe der Risiken, die wir
laufen, nicht identisch. Das ist in seiner Eigenschaft als Straßenverkehrsteilneh-
mer jedermann geläufig. Das Schadensausmaß der Unfälle, wie man sie im Pkw-
Verkehr kennt, schließt bekanntlich den eigenen Exitus ein, und Zehntausende
ereilt der Straßenverkehrstod jährlich in Europa tatsächlich. Nichtsdestoweniger
setzen sich Millionen alltäglich nahezu unbesorgt in ihr Auto – nicht, weil sie das
Ausmaß des Schadens, den der eigene Tod bedeutet, verwegen geringachteten,
vielmehr deswegen, weil sie, lebenspraktisch durchaus richtig, die Wahrscheinlichkeit für erträglich gering halten, daß der Verkehrsunfalltod gerade sie ereilen
könnte. Auch der sicherheitstechnische Laie vermag insofern aus seiner All-
tagserfahrungsperspektive zu erkennen, daß die Risiken, denen er ausgesetzt ist,
nicht identisch sind mit den Schadensausmaßen der Katastrophen, die eintreten

25   Horst G. Mensching: Ökosystem – Zerstörung in vorindustrieller Zeit. In: Hermann Lübbe,
     Elisabeth Ströker (Hrsg.): Ökologische Probleme im kulturellen Wandel. München, Paderborn
     1986. pp. 15-27

könnten. Er realisiert lebenspraktisch durchaus, daß erst das potentielle Scha-densausmaß kombiniert ("multipliziert", wie in der quantitativen Betrachtung dieser Zusammenhänge die Sicherheitstheoretiker sagen) mit der Wahrschein-lichkeit seines Eintritts das Risiko ausmacht[26].

Für die industriellen Groß-Katastrophen gilt das nicht anders. Ob die ein-gangs in ihrer wichtigsten quantitativen Aspekten in Erinnerung gebrachte Tschernobyl-Katastrophe ein unerträgliches oder ein allenfalls erträgliches Ri-siko repräsentiert, ist ersichtlich nicht allein von jenem Schadensausmaß abhän-gig zu machen, von dem wir, nachdem die Katastrophe eingetreten ist, nunmehr wissen, welche außerordentlichen Dimensionen es hat. Es ist überdies abhängig zu machen von der Wahrscheinlichkeit, mit der wir unter den gegebenen indu-striellen und technischen Voraussetzungen neuerliche analoge Katastrophen für die Zukunft zu erwarten haben. – Indessen: Schadensausmaße beeindrucken uns stets stärker als Risiken. Nichts demonstriert uns das eindrücklicher als die Pra-xis unserer Medienberichterstattung. Durchschnittliche zwanzig Pkw-Verkehrs-tote täglich sind nicht berichtsfähig. Hingegen ist ein einziger kleiner Flugzeug-unfall mit analoger Opferzahl spitzenmeldungspflichtig, und so in allem. Darf man erwarten, daß wir künftig nicht nur in individueller, sondern auch in kollek-tiver zivilisationsspezifischer Lebenshinsicht lernen werden, uns die Einschät-zung unserer Lebenssicherheit, statt an beeindruckenden Schadensausmaßen, an Risiken orientieren werden? Es ist wohl realistischer, bis auf weiteres davon aus-zugehen, daß die sogenannte Risikoakzeptanz vor allem mit der Zunahme des Schadensausmaßes uns potentiell bedrohender Katastrophen abnimmt, und just dieses Schadensausmaß potentieller Katastrophen nimmt mit der sozialen und naturalen Reichweite unseres techniknutzenden Handelns tatsächlich zu.

Als dritten Grund irreversibel sich intensivierender Unsicherheitserfahrun-gen hatte ich zivilisationsspezifisch zunehmende Erfahrungsverluste benannt[27]. Was ist gemeint? Bevor, metonymisch gesprochen, mit der Installation der ersten

---

26 Zur Problematik dieses Risikobegriffs cf. die Diskussion in Roland Lindner: Technik und Gesellschaft IV. Risikoeinschätzung und Akzeptanz neuer Technologien. Kommission der Europäischen Gemeinschaften. Bericht EUR 9179 DE (1984), pp.6ff.: "Gibt es einen allgemeinverständlichen Risikobegriff?"

27 Zu diesem Thema cf. die älteren, wirkungsreichen Analysen bei Arnold Gehlen: Die Seele im technischen Zeitalter. Sozialpsychologische Probleme in der industriellen Gesellschaft. Ham-burg 1957. pp. 44ff.: "Erfahrungsverlust". Ferner Helmut Schelsky: Der Realitätsverlust der moderenen Gesellschaft (1954). In: Helmut Schelsky: Auf der Suche nach Wirklichkeit. Ge-sammelte Aufsätze. Düsseldorf, Köln 1965. pp. 391-404

Dampfmaschine vor zweihundert Jahren der Industrialisierungsprozeß im modernen Sinn begann, waren auch in den europäischen Gesellschaften zwischen zwei Dritteln und drei Vierteln aller Menschen landwirtschaftsabhängig tätig. Es wäre durchaus unangemessen, diesen Bestand romantisieren zu wollen. Das müßte einem allein schon der Blick auf die damalige durchschnittliche Lebenserwartung verbieten, die nur die Hälfte unserer heutigen Lebenserwartung erreichte. Andere Eigenschaften des Lebens in einfach strukturierten, nämlich agrarischen Gesellschaften lassen sich aber aus heutiger Perspektive durchaus als Vorzüge wahrnehmen, zum Beispiel die Eigenschaft, daß damals die übergroße Mehrheit der Menschen eine höchst anschauungsgesättigte, lebenserfahrungsstabilisierte Beziehung zu den realen Bedingungen ihrer physischen und sozialen Existenz unterhielt. Technischer ausgedrückt: Das Maß der ökonomischen und sozialen Autarkie war beträchtlich, ablesbar an der Seltenheit etwa der Marktgänge. Die Menschen kannten, emphatisch gesprochen, das Leben.

Wenn wir uns demgegenüber fragen, was wir denn noch, und zwar jeder einzelne von uns, von den realen Bedingungen unserer physischen und sozialen Existenz lebenserfahrungsdurchherrscht wissen, so wird evident, daß noch nie eine Zivilisationsgenossenschaft ihre Lebensbedingungen weniger verstanden hat als unsere eigene. Zwar sind wir alle weit über in früheren Stadien der Zivilisation erreichte Spezialisierungsgrade hinaus Fachleute, aber mit zunehmender Spezialisierung eben doch in zunehmenden Fällen auf anderen Gebieten als unsere Kollegen, so daß, noch einmal, für das Individium, als für die entscheidende Bezugsgröße unter Befindlichkeitsaspekten, gilt, daß noch nie eine Zivilisation ihre Lebenserfahrungen weniger verstanden hat als unsere eigene.

Wenn diese Beschreibung ihre Evidenz hat, so wird zugleich evident, wie in einer solchen Zivilisation einzig psychisch sich leben läßt: Wir sind nie zuvor auf Vertrauen angewiesen – auf Vertrauen in der unpathetisch-zurückgenommenen, wohlbestimmten Bedeutung des Vertrauens in die Solidität der Leistungen des uns jeweils benachbarten Fachmanns. Man kann sich unsere Angewiesenheit auf Vertrauen in genau der skizzierten Bedeutung recht eindrucksvoll machen, indem man über die Dauer eines einzigen Tages hin sich einmal die Fülle der Vertrauensakte vergegenwärtigt, ohne die wir nicht lebensfähig wären – vom Vertrauen in die wissenschaftlich basierte Kunst des Zahnarztes, den wir morgens aufsuchen, bis zum Vertrauen in die Funktionstüchtigkeit jenes Taschenrechners, auf dessen Rechenergebnisse sich der Brückenbauingenieur bei seinen statischen Konstruktionsmaßgaben verläßt.

Kurz: In komplexen und hochmobilen Gesellschaften kompensieren wir die schwindende Reichweite unserer gemeinen Urteilskraft durch Expertenrat. Im politischen System ist dieser Expertenrat längst institutionalisiert, und die Sozialwissenschaftler haben das ihrerseits längst vermessen -: Kein Wissenschaftler von überdurchschnittlichem Rang und überdurchschnittlicher Geltung, der nicht in einem oder mehreren solcher Expertenräte säße. Expertenwissen ist also das Kompensat schwindender Urteilsreichweite des common sense – wie die Brille die schwindende Sichtweite des Kurzsichtigen kompensiert.

So weit Kompensationen funktionstüchtig sind, ist es kein Einwand zu sagen, daß sie nur Kompensationen sind[28]. Prekär wird die Sache immer dann, wenn der Expertenrat, in den wir in komplexen und in dynamischen Gesellschaften müssen vertrauen können, an Vertrauenswürdigkeit verliert. Just das ist aber stets dann der Fall, wenn die Experten, in die wir doch müßten vertrauen können, sich ihrerseits bis hin zu Anzeichen wechselseitiger Erbitterung uneins zeigen. Die Menge der Fälle, in denen das der Fall ist, nimmt zu. Zumal bei den großen öffentlichen Anhörungen, wie sie heute von Regierungen und gesetzgebenden Körperschaften in wachsender Zahl veranstaltet werden, kommt das vor, und zwar um so häufiger, je komplizierter ihrer technischen und organisatorischen Struktur nach die Sachentscheidungen sind, zu deren politischer Vorbereitung der Expertenrat eingeholt wird. Das erwähnte Vertrauen, das heute aus den skizzierten Gründen als Sozialkitt immer nötiger wird, verhärtet sich alsdann, verliert seine Bindekraft und wird bröckelig.

Kompetenzverluste des common sense, schwindende Reichweite primärer Lebenserfahrung, wachsende Abhängigkeit vom Expertenurteil, entsprechend wachsende Vertrauensabhängigkeit und wachsende Zweifel in die Tragfähigkeit dieses Vertrauens – das ist der Hintergrund, vor dem einige kulturelle Reaktionsformen plausibel werden, die gewiß eher zur Randgruppenkultur gehören, die aber in ihren dort beobachtbaren Extremformen von hoher Signifikanz sind. Einer der kulturellen Reaktionsformen auf die Erfahrungen schwindender Autarkie gemeiner Lebenserfahrung, so scheint mir, ist das Aussteigertum, das, immerhin, zuerst nicht in Europa, vielmehr in den USA, und zwar in den technisch-zivilisatorisch höchstentwickelten Regionen der USA, nämlich in Kalifor-

---

28   cf.dazu meinen Aufsatz "Erfahrungsverluste und Kompensationen. Zum philosophischen Problem der Erfahrung in der gegenwärtigen Welt", in: Der Mensch als Orientierungswaise? Freiburg/München 1982. pp. 145-168

nien beobachtet worden ist. Was ist die Lebenspragmatik dieses Vorgangs, daß, in biographisch spektakulären Fällen, die Absolventen der besten Ausbildungsstätten, die die Welt anzubieten hat, nach Absolvierung ihres Studiums ihre Kompetenz nicht der Industrie zur Verfügung stellen, vielmehr, unter drastischer Absenkung ihres Lebensstandards, unproduktiv gewordene und daher aufgelassene Farmen neu aktivieren? Der Sinn dieses Vorgangs, der inzwischen längst auch in verlassenen Bergdörfern des Tessin oder im Bayerischen Wald hat beobachtet werden können, scheint mir zu sein, auf diese Weise die relative Menge der realen Lebensvoraussetzungen wieder zu vergrößern, die wir in unsere individuelle Lebenserfahrung einbezogen halten können.

Eine andere kulturelle, bis in den politischen Lebenszusammenhang durchschlagende Reaktionsweise auf die Erfahrungen abnehmender Gemeinsinnsautarkie ist der politische Moralismus, das heißt das Umschalten von den ihrer Komplexität wegen kaum noch gemeinverwendungsfähigen Sachargumenten auf Argumente öffentlicher Anzweifelung des guten Willens verantwortlicher Personen und Institutionen[29]. Mit dem scharfen Schwert besorgter reiner Gesinnung durchhaut man den sich verheddernden Knoten moderner Lebensrealität. Vorgeprägt ist diese Argumentationsweise schon im Stil jener Verdächtigung, die für totalitäre Systeme charakteristisch war und ist, nämlich an Stelle von Kausalanalysen spektakulärer Unglücksfälle den Sabotageverdacht zu setzen.

Die rationale politische Reaktionsform auf die Erfahrungen abnehmender Reichweite des common sense bei zugleich schwindendem Vertrauen ins Expertenurteil ist die Urteilsenthaltung. "Wie reagiert die Politik auf die Beschleunigung der Zeitgeschichte?" – so lautet der Untertitel der eindrucksvollen Untersuchung der Berner Politikwissenschaftler Gruner und Hertig, die uns plausibel macht, daß Urteilsmoratorien im Verhalten des Stimmbürgers zunehmen müssen, wenn dieser angesichts der Komplexität anstehender Entscheidungen einerseits und mangelnder Einhelligkeit der Experten andrerseits sich überfordert findet. Das ist die Struktur einer Lage, in der es plausibel wird, daß, wie aus den Vereinigten Staaten berichtet, in Abstimmungskämpfen Slogans wie diese verwendbar werden: "Confused? Many are. Play safe! When in doubt, vote No!" Dieses Nein ist, wie man erkennt, nicht das Nein der begründeten Ablehnung, vielmehr das Nein der Urteilsenthaltung unter dem Druck von Erfahrungen der

---

29   cf. dazu mein kleines Buch "Politischer Moralismus. Der Triumph der Gesinnung über die Urteilskraft", Berlin 1987

Überforderung eigener Urteilskraft - das Moratoriums-Nein, wie wir es nennen können. Die Neigung zu diesem Nein scheint generell in modernen, hochkomplexen Gesellschaften zuzunehmen[30]. Notabene: Es handelt sich ersichtlich bei diesem Nein nicht um eine irrationale Reaktion, vielmehr um eine rationale Reaktion, mit der man zu rechnen hat. Soweit das richtig ist, ließe sich folgern: Moderne Gesellschaften können bis in ihr politisches System hinein gewiß hohe Grade der Komplexität und Änderungsdynamik verarbeiten, nicht aber beliebige Grade. Jenseits entsprechender Grenzen wird das Vertrauen in die Verläßlichkeit dessen, was sich in Abhängigkeit von fachmännischen Leistungen in unserer black-box-Zivilisation abspielt, überfordert – mit den beobachtbaren destruktiven Folgen für unsere Sicherheitsbefindlichkeit sowie für unser Akzeptanzverhalten.

Als vierten Grund sich intensivierender Unsicherheitserfahrungen hatte ich die zivilisationsspezifisch rückläufige Kalkulierbarkeit der Zukunft geltend gemacht. Noch nie hat eine kulturelle Gegenwart über die Zukunft, die ihr bevorsteht, weniger gewußt als unsere eigene. Umgekehrt heißt das: Was immer auch das Leben in früheren Kulturepochen belasten ließ – die Zukunft, mit der man zu rechnen hatte, war in wohlbestimmter Hinsicht weniger undurchsichtig als heute[31].

Das sind starke Behauptungen. Ihre Begründung ist, im Kern des Arguments, diese: Mit der Menge der unsere zivilisatorische Lebenssituation in ihren Strukturen verändernden Ereignisse pro Zeiteinheit nimmt die Voraussehbarkeit der zivilisatorischen Entwicklung ab. Es gibt sogar ein Argument, welches die Behauptung zuläßt, daß in unserer so genannten wissenschaftlichen Zivilisation deren Prognostik auf prinzipielle Hindernisse stößt. Das entsprechende Argument – es stammt vom austro-britischen Wissenschaftstheoretiker Popper[32] – lautet: Wir mögen ja immerhin, und sei es mit den Mitteln der sogenannten Futurologie, alles Mögliche über die Zukunft wissen. Nur eines können wir prinzi-

---

30 Zum Vorstehenden cf. Erich Gruner/Hans-Peter Hertig: Der Stimmbürger und die "neue" Politik. Wie reagiert die Politik auf die Beschleunigung der Zeitgeschichte? Bern und Stuttgart 1983

31 cf. dazu mein Buch "Zeit-Verhältnisse. Zur Kulturphilosophie des Fortschritts", Graz, Wien, Köln 1983, bes. pp. 33ff.: "Zukunftsgewißheitsschwund"

32 In seiner ideologiekritischen Bedeutung hat Popper dieses Argument in seinem Buch "Das Elend des Historzismus" (zuerst 1960) analysiert (zweite, unveränderte Auflage Tübingen 1969)

piell nicht wissen, nämlich was wir künftig wissen werden; denn sonst wüßten wir es bereits jetzt. Und je größer nun die faktorielle Bedeutung eben dieses künftigen Wissens, über seine technische Umsetzung und wirtschaftliche Nutzung, an der Veränderung der Strukturen unserer Lebenswelt ist, um so größer ist entsprechend der Geltungsbereich des Arguments prinzipieller Unvorhersehbarkeit wissenschaftsabhängiger zivilisatorischer Prozesse.

Genau komplementär zur Dynamik unserer zivilisatorischen Evolution rückt damit diejenige Zukunft immer näher an die Gegenwart heran, in die wir nicht mehr hineinzuschauen vermögen. Um so leichter wird daher gerade in progressiven Zivilisationen Zukunft zum Inhalt von Bedrängniserfahrungen. Dem kann man, gewiß, kompensatorisch entgegenwirken. Aber man kann die spezifische Gegenwart der Zukunft in dynamischen Zivilisationen nicht ändern, der der Zwang zu solcher Gegenwirkung entstammt. Die Befindlichkeitskonsequenzen dieses Bestandes liegen auf der Hand: Mit der wachsenden temporalen Nähe des Unbekannten, wie stets in Konfrontation mit dem Unbekannten, schwächt sich jenes Sicherheitsgefühl ab, wie es sich einzig im Umgang mit dem Gewohnten und Vertrauten entwickeln kann. Gewiß gibt es im Verhältnis zum Unbekannten auch Neugier, deren Betätigung lustvoll ist. Aber diese Lust gestattet sich im Regelfall nur, wer hinreichende Sicherheiten im Rücken hat, wem also vom Ausflug ins Unbekannte Rückkehr ins Vertraute und Gewohnte gesichert ist, und eben das ist nicht die Verfaßtheit unserer Daseinslage in unserer evolutionär sich immer noch beschleunigenden Zivilisation. Im Extremfall kann die zivilisationsspezifisch wachsende temporale Nähe des Unbekannten sogar Zukunftsangst provozieren. "No future" ist nicht zufällig der international bekannteste aller Sprayersprüche. In der Literaturszene entspricht dem die Präferenz für Schreckensthemen in den aktuellen Exemplen der traditionsreichen Romangattung der Utopie[33]. Heilsutopien sind inzwischen extrem selten geworden. Die These lautet also: Ganz unabhängig von objektiv begründeten Sorgen, die uns heute bedrängen, nimmt zivilisationsspezifisch allein schon durch die zunehmende temporale Nähe des Unbekannten unsere Zukunftssicherheit ab.

Als fünften unter den Gründen sich intensivierender Unsicherheitserfahrung hatte ich das Faktum benannt, daß mit der Evolution der Industriegesellschaft der Raum unserer Informiertheit über lebenspraktisch relevante Fakten

---

33 Zum Thema Utopie cf. Hans-Jürg Braun (Hrsg.): Utopien – Die Möglichkeit des Unmöglichen. Zürich 1987, bes. pp. 87ff.

tendenziell immer weiter sich über die Grenzen unseres Handlungsraums hinaus erstreckt. – Daß die Verbesserung unseres Informationsstandes Unsicherheitserfahrungen verstärken könne, ist nur auf den ersten Blick paradox. Auf den zweiten Blick erkennt man die Potenz von Information als Medium der Evokation von zivilisationsspezifischen Ohnmachtserfahrungen. Man kennt inzwischen den Terminus "Weltgesellschaft"[34]. In vielen Lebenshinsichten ist das ein Terminus mit dem semantischen Gehalt einer Übertreibung. Aber zumindest in einer Hinsicht existiert, in Abhängigkeit von technischen Entwicklungen, das, was man "Weltgesellschaft" nennen mag, bereits real, nämlich als Informationsgesellschaft. Das bedeutet zunächst lediglich: Der Globus ist inzwischen zu einem nachrichtentechnisch nahezu integrierten System geworden. Über Ereignisse und Vorgänge von einiger Wichtigkeit wird heute die Weltöffentlichkeit in kürzester Frist informiert, und die Populationen schwinden dahin, die mangels Empfänger als Adressaten medial verbreiteter Informationen noch nicht in Frage kommen und somit noch außerhalb der Weltöffentlichkeit existieren. Es ist wahr, daß der weitaus größere Anteil sogenannter Weltnachrichten für uns ohne jede praktische Relevanz ist, unsere Kompetenzen nicht steigert, keinerlei Reaktionen nötig macht und somit nichts als Stoff zur Bedienung unserer Curiositas, also Unterhaltungsstoff, darstellt[35].

Für einen kleinen, sehr speziellen Anteil von Informationen gilt aber just das nicht. In seiner räumlichen, in letzter Instanz globalen Ausdehnung bedeutet ja der Industrialisierungsprozeß Extension realer Abhängigkeiten voneinander - von den Handelsströmen, über die unsere Versorgung mit Rohstoffen und Lebensmitteln und mit Energieträgern erfolgt, über die Nachrichtenverbindungen, an deren Funktionstüchtigkeit im Zeitalter absoluter Waffen der wechselseitig abschreckungsgesicherte Weltfrieden hängt, bis hin zur Kooperationsfähigkeit jener multinationalen Beratungs- und Entscheidungsgremien, ohne deren Arbeitsergebnisse weder die Sicherheiten des weltweiten Flugverkehrs gewährleistet werden könnten noch grenzüberschreitende Öko-Katastrophen abgewendet. In dieser Welt real expandierender wechselseitiger Abhängigkeiten ist das Zusammenschlagen der Völker in fernen, noch hinter der Türkei gelegenen Räu-

---

34   Niklas Luhmann: Die Weltgesellschaft, In: Soziologische Aufklärung 2. Aufsätze zur Theorie der Gesellschaft. Opladen 1975. pp. 51-71

35   cf. dazu meinen Aufsatz "Der Informationsfortschritt und der Alltag der Menschen", in: Die informierte Gesellschaft. Arbeitstagung der Stiftung für Kommunikationsforschung in Verbindung mit der Siemens AG München. Bonn 1979. pp. 27-36

men alles andere als ein Grund, im Kontrast dazu der Behaglichkeit der eigenen Lage innezuwerden. Das war ja die Wirkung, durch die noch Goethe die spießbürgerliche Vergnüglichkeit der Zeitungslektüre zu charakterisieren vermochte. Demgegenüber sind heute Golf- und Kanalkriege Auslöser akuter oder auch chronischer Unsicherheitserfahrung. Politisch bedingte Energieknappheit oder Energieteuerung droht, und über relevante politische Möglichkeiten, die bedrohlichen Vorgänge zu beeinflussen, verfügen lediglich Supermächte. Die Bürger kleiner, auch mittelgroßer Staaten, die Regierungen dieser Staaten hingegen erfahren ihre Ohnmacht Ereignissen und Vorgängen gegenüber, von denen sie doch andrerseits potentiell höchst real sich betroffen finden. Man erkennt: Die synchrone mediale Präsenz von Information über alle Weltereignisse von weltweiter Bedeutung ist in Kombination mit realer Abhängigkeit von diesen zugleich kaum beeinflußbaren Ereignissen ohnmachtserfahrungsträchtig. Das gilt unabhängig vom Faktum, daß die global expandierende industrielle Evolution über unsere weltweit zunehmende Abhängigkeit voneinander, die sie mit sich bringt, objektiv die Sicherheit unserer Lebenslage nicht mindert, vielmehr mehrt von unseren wachsenden Fähigkeiten, regionalen Erntekatastrophen weltweit auszugleichen, bis zur abnehmenden Wahrscheinlichkeit des großen, das heißt mit allen verfügbaren Waffen geführten Krieges angesichts evidenter pragmatischer Unmöglichkeit, einen solchen Krieg noch als Fortsetzung der Politik mit anderen Mitteln begreifen zu können. Mit der Expansion der Industriegesellschaft nimmt objektiv die Sicherheit der Menschen hinsichtlich der wichtigsten Bedingungen ihres Überlebens zu. Subjektiv verknüpfen sich nichtsdestoweniger mit Autarkieverlusten, das heißt mit real anwachsenden Abhängigkeiten von entfernten Dritten immer wieder einmal Erfahrungen der Ohnmacht. Sich in bedrohlichen Lagen von anderen abhängig wissen und gleichwohl nichts tun können -: das ist eine verunsichernde Situation, und in dieser Situation befinden wir uns heute zivilisationsspezifisch immer wieder einmal.

Als sechsten Grund zunehmender Unsicherheitserfahrungen hatte ich gewisse Wirkungen nachlassender sozialer Kontrolle erwähnt. Die Wirkungen nachlassender sozialer Kontrolle sind inzwischen ein Teil unserer Alltagspraxis. Ältere Touristen erinnern sich, daß noch vor drei Jahrzehnten die Türen ländlicher Kirchen regelmäßig offenstanden. Heute wird man sie selbst in hintersten Tallagen verschlossen finden. Blieben sie unverschlossen, so verblieben heute auch Putten mäßigen Bauernkunstranges nicht mehr lange an ihrem Altarplatz, von der Mutter Gottes ganz abgesehen. Fromme Scheu behindert den illegalen

Antiquitätenhandel kaum noch, und im Schutz von Touristenpulks spezieller Zusammensetzung kann man es sich durchaus leisten, aus byzantinischen oder gar römischen Mosaiken ein Steinchen für Andenkenzwecke herauszuklauben.

Bedrohtheitsgefühle stellen sich ein, wenn man, rund um die Welt, in Erstklasshotels auf seinem Zimmer strenge Anweisungen zur Kenntnis zu nehmen hat, daß man ohne vorherigen Blick durch den Spion auf ein Klopfen hin Türen nicht öffnen solle. In vielen Großstadtquartieren versteht sich analoge Vorsicht bei Hausbesitzern längst von selbst. Weltstädte gibt es, in denen man allein einen Abendspaziergang nicht unternehmen sollte. Die Polizei rät, in U-Bahnen weder viel Geld noch gar kein Geld, vielmehr ein bißchen Geld mit sich zu führen, damit bei Raubüberfällen einerseits der Schaden begrenzt bleibt, andrerseits aber die Räuber nicht zu Frustrationsaggressivitäten provoziert werden.

Man könnte in der Schilderung solcher Veränderungen in moderner Lebensverbringung lange fortfahren. Was ist der Grund dieser Veränderungen? Das Soziologenstichwort "soziale Kontrolle", näherhin nachlassende soziale Kontrolle, benennt ihn. Die Erklärung des so benannten Bestandes ist kompliziert. Man versteht, worum es sich handelt, wenn man sich einen hier einschlägigen Zug gesellschaftlicher Modernität vor Augen führt. In der Entwicklung moderner, differenzierter und komplexer Gesellschaften nimmt die relative Bedeutung unserer direkten sozialen Abhängigkeit voneinander ab, während komplementär dazu unsere indirekten sozialen Abhängigkeitsverhältnisse expandieren. Die Reichweite unserer sozialen Beziehungen nimmt zu, indem sich diese Beziehungen zugleich funktional differenzieren. Unsere Subjektivität im emphatischen Sinn wird dabei zugleich aus diesen Beziehungen abgezogen. Sie zieht sich mit einem Zuwachs an Privatheit und Intimität in kleine und kleinste Gruppen zurück. Anders ausgedrückt: Mit der Expansion der Öffentlichkeiten, in denen wir uns sozial bewegen, wachsen uns Chancen zu, das im Schutze der Anonymität zu tun. So hat man schon vor mehr als einhundert Jahren das Phänomen "Großstadt" als soziales Phänomen analysiert. Im Schutze jener Anonymität, für die inzwischen das Stichwort "Großstadt" lediglich noch metonymische Bedeutung hat, nimmt die Menge der Möglichkeiten, sich unmöglich zu machen, ab. Eben das heißt: Durch soziale Kontrollen garantierte Verhaltenskonformitäten lösen sich auf, Subkulturbildungen werden begünstigt, Individuen entfalten sich freier als je zuvor, und auch für Betätigungen in kleiner, ja großer Kriminalität gibt es wie nie zuvor Entfaltungschancen.

Kulturgeschichtlich ließe sich das exemplarisch im Komplementärvorgang der technischen Entwicklung der Schlösser und sonstigen Sicherungsanlagen spiegeln[36]. Um es anschaulich zu sagen: Eine Gesellschaft, die reich genug ist, Zweithausbesitz in nie gekanntem Ausmaß möglich zu machen, darf sich nicht wundern, wenn das jeweils gerade nicht bewohnte Haus zu den Vorzugsobjekten organisierter Einbruchskriminalität gehört, und die erwähnten Angebote der expandierenden sicherheitstechnischen Industrie sind davon das Kompensat. – Diese Betrachtungen lassen sich auch in den politischen Lebenszusammenhang übertragen. Mit der Modernität moderner Gesellschaften nimmt die Menge der Überzeugungen ab, die jedermann als verbindlich angesonnen werden können. Komplementär dazu nimmt der Meinungspluralismus zu, und das nicht zuletzt in Bezug auf Lebensvoraussetzungen, die sich des Grades ihrer wissenschaftlichen und technischen Komplexität wegen immer weniger in den Zuständigkeitsbereich unserer common-sense-Urteile einbezogen halten lassen. Entsprechend differenziert ist heute nicht zuletzt das technologiepolitische öffentliche Meinungsspektrum, und die Meinungen darüber, zu welchen politischen Aktivitäten einen die eigenen Meinungen legitimieren, divergieren gleichfalls. Moralisten, deren Zahl stets mit der Undurchschaubarkeit von Sachlagen zunimmt, zweifeln nicht an ihrem höheren Recht zur Gewalt, deren Gebrauch ihrerseits bei gegebenen Unsicherheiten der für öffentliche Sicherheit Zuständigen eher schwach kontrolliert ist. Als Konsequenz ergibt sich, daß wir in immer weiteren öffentlichen Zusammenhängen Sicherheit über Installierung technischer Sicherheitssysteme finden zu können hoffen müssen. Bevor wir bei unseren Geschäftsreisen das Flugzeug besteigen, haben wir uns elektronisch abtasten lassen. Herrenlos aufgefundene Gepäckstücke lassen nach Bombenexperten rufen. Großwerke der Kernenergieerzeugung oder auch der chemischen Industrie sind wie Festungen armiert – mit stacheldrahtbewehrten Mauern, stahlarmierten Toren zur Sicherung gegen Durchbrüche gepanzerter Fahrzeuge von Terroristen, mit Laufgräben für Patrouillen und Hundestaffeln, elektronisch beäugt und nachts in Lichterfluten getaucht. Kurz: Nie zuvor in der Kulturgeschichte sahen wir uns alltäglich von soviel Sicherheitsaufwand umgeben. Es wäre lebensfremd anzunehmen, daß wir uns eben deswegen um so sicherer fühlen würden. Das Gegen-

---

36   Als kleinen Einblick in die kulturgeschichtlich überaus interessante Geschichte der Schlösser cf. exemplarisch die mit Literaturhinweisen ausgestattete kleine Arbeit Bauer Kaba AG (Hrsg.): Der Schlüssel zum Schlüssel. Zürich 1978

teil ist ersichtlich der Fall. Der Anteil derjenigen Bürger wächst, von denen jeweils andere Bürger annehmen, daß man sich gegen sie zu sichern habe.

Als siebten Grund zunehmenden Sicherheitsverlangens hatte ich schließlich noch die Höhe des inzwischen erreichten sozialen Sicherheitsniveaus erwähnt. Es ist abermals nur scheinbar paradox, daß unsere Empfindlichkeit gegenüber Einschränkungen unserer sozialen Sicherheit mit dem Niveau des erreichten Sicherheitsniveaus zunimmt[37]. Man vergegenwärtigte sich, was hier vor sich geht, exemplarisch medizinkulturgeschichtlich. Die berühmt-berüchtigte Gesundheitsdefinition der Weltgesundheitsorganisation, derzufolge Gesundheit ein Zustand uneingeschränkten physischen, psychischen und sozialen Wohlbefindens sein soll, hätte noch im tiefen 19. Jahrhundert als vermessen, ja als gottversucherisch gelten müssen. Ersichtlich sind es die historisch beispiellosen Leistungen der modernen Medizin, in Kombination selbstverständlich mit der historisch beispiellosen wirtschaftlichen Leistungskraft der modernen Industriegesellschaft, die unser gesundheitspraktisches Anspruchsniveau auf seinen heutigen Stand gehoben haben. In Annäherung ans denkbare Optimum gewinnen die verbleibenden Abstände rasch an Unerträglichkeit. Dieser Vorgang mag näherer psychologischer Aufklärung zugänglich sein. Alltagspraktisch kennen wir das aus dem Befindlichkeitsablauf jeder Heimfahrt: Mit der Nähe zum Ziel wächst die Ungeduld.

Dabei wäre es ein zivilisationskritisches Mißverständnis anzunehmen, daß sich in wachsenden Sicherheitsansprüchen eine wachsende Dekadenz unserer Selbstbestimmungsfähigkeit spiegele. Insoweit verhält sich die Sache genau umgekehrt. Kraft Wohlfahrt und disponibler, nämlich notwendigentlasteter Lebenszeit war das Ausmaß der Möglichkeiten zu selbstbestimmter Lebensverbringung nie größer als heute, und diese Möglichkeiten werden genutzt. Im sogenannten Wertewandel spiegelt sich das, und "Selbstverwirklichung" als Lebensorientierungsgröße repräsentiert nicht dekadente Selbstbezogenheit, vielmehr eine objektive Notwendigkeit angesichts beispiellos expandierter Dispositionsfreiräume, in denen nichts geschähe, wenn es nicht selbstbestimmt geschähe. Jedermann weiß freilich, daß die geschätzten und überwiegend genutzten Freiheiten moderner Lebensverbringung gerade nicht auf der sozialen Autarkie der Individuen oder kleiner Gruppen beruhen, vielmehr auf den sozialen Sicherheiten, wie sie

---

37 Franz-Xaver Kaufmann: Sicherheit als soziologisches und sozialpolitisches Problem. Untersuchungen zu einer Wertidee hochdifferenzierter Gesellschaften. Stuttgart ²1973

einzig die moderne Gesellschaft über ihre politische Institutionen zu gewährleisten vermag, und eben deswegen wachsen die Ansprüche ans System unserer sozialen Sicherheiten nicht trotz der Freiheitsansprüche moderner Bürger, vielmehr ihretwegen[38].

Man mag finden, das insoweit gezeichnete Bild einer Gesellschaft wachsender Sicherheitsansprüche und komplementär dazu sich verringernder Risikobereitschaft sei kein schönes Bild. Aber das hätte sich dann themenabhängig so ergeben. Die Absicht war ja einzig die, einige besonders wichtige Eigenschaften unter den Eigenschaften der industriellen Zivilisation zu kennzeichnen, die in nachvollziehbarer, plausibler Weise unser Sicherheitsverlangen sich intensivieren lassen, und zwar, wie wir gesehen haben, in gewissen Umfang sogar unabhängig von der Antwort auf die Frage, ob die Risiken moderner Lebensverbringung objektiv wachsen oder ob sie es nicht tun.

---

38 So die überzeugende These des Buches Wolfgang Zapf, Sigrid Breuer, Jürgen Hampel, Peter Krause, Hans-Michael Mohr, Erich Wiegand: Individualisierung und Sicherheit. Untersuchungen zur Lebensqualität in der Bundesrepublik Deutschland. München 1987. p. 3: "Einem gestiegenen Individualisierungsdruck korrespondiert ein steigendes Sicherheitsbedürfnis".

Risikobewertung in der Technik

von

EBERHARD FRANCK

0   Zusammenfassung

Die Entwicklung und der Einsatz von Technik bringen neben den erwarteten Chancen stets auch Risiken. Beide sind untrennbar miteinander verbunden. Es gibt keine Chancen ohne Risiken.

Auch in der Technik gibt es prinzipiell keine absolute Sicherheit. Stets verbleibt ein nicht ausschließbares Restrisiko. Die Minimierung dieses Risikos ist eine anspruchsvolle analytische und technische Aufgabe von großer wirtschaftlicher Bedeutung.

Im Bereich häufig vorkommender technischer Risikokategorien (Kraftfahrzeuge, Luftfahrt, Schiffahrt, Bergbau, Wasserbau, Elektrotechnik, ...) erfolgt die Risikobewertung durch die Auswertung systematischer Schadenstatistiken: aus der Schadenerfahrung der Vergangenheit und mittels gezielter Schadenforschung wird über das Gesetz der großen Zahlen die Eintrittswahrscheinlichkeit künftiger Schäden berechnet.

Im Bereich seltener Ereignisse und für Prototypen, insbesondere für vernetzte hochtechnologische Systemtechniken (Raumfahrt, Reaktortechnik, Verkehrsysteme ...) hat die Sicherheitsforschung als eigenständige Fachdisziplin wissenschaftliche Methoden der Risiko- und Zuverlässigkeitsanalyse entwickelt. Bei der wissenschaftlichen Auswertung von Ereignisabläufen und Fehlerketten setzt man analytische und simulative Verfahren mit stochastischen Zufallsvariablen ein. Diese Verfahren liefern als Bewertungsgrundlage zugleich Ansätze zur weiteren Erhöhung des Sicherheitsgrades. Sie können darüberhinaus auch für andere Risikobereiche zum objektivierenden Risikovergleich und zur messenden Risikobewertung dienen.

Die wirksamste Maßnahme zur Verhütung von technischen Störungen, Ausfällen, Unfällen, Personen- und Sachschäden ist eine bereits im Planungsstadium durchgeführte Risikoanalyse. Sie besteht aus der Risikoerkennung, der Risikobewertung und der Risikobegrenzung. Diese Begrenzung erfolgt meist in vier Schritten: durch Vermeiden (sofern möglich), durch Verminderung (Schadenverhütung), Überwälzung (Versicherung) und eigene finanzielle Vorsorge (Selbsttragen).

Die Risiken der Technik werden von der Öffentlichkeit eher subjektiv und qualitativ wahrgenommen. Sie werden vielfach überbewertet, selten richtig, niemals einheitlich beurteilt.

Die Forderung nach einer objektiv vergleichenden und verbindlichen Meßskala zur Risikobewertung – ähnlich der bekannten Richter-Skala bei Erdbeben – kann zu einem wünschenswerten Schritt aus der Irrationalität der subjektiven Empfindung von Risiken führen.

1   Einleitung

Die Notwendigkeit einer Bewertung technologischer Risiken in unserer Industriegesellschaft wurde kürzlich durch unseren Bundespräsidenten bewußt gemacht.

Dr. Richard von Weizsäcker ging anläßlich der Eröffnung der Hannover-Messe Industrie 1986 in seiner vielbeachteten Eröffnungsansprache auf die sensitive und inzwischen stark politisierte Risikothematik gezielt ein. Er wandte sich über die Medien an die breite Fernsehöffentlichkeit mit einer zentralen Aussage über die Risiken der Technik:

"... Unser wirtschaftliches Wohlergehen kann nur gesichert werden, wenn wir den technologischen Fortschritt bejahen und an ihm teilhaben. Dazu müssen wir ihn verstehen. Dies wiederum bedeutet, das wir auch die Gefahren und Risiken kennen und beherrschen lernen, die immer und zu allen Zeiten mit ihm verbunden waren und bleiben... Gefahren lassen sich entschärfen, Risiken sind abzuwägen, einzugrenzen und zu beseitigen. Dies muß erkennbarerweise geschehen und offen erläutert werden, wenn der technische Fortschritt annehmbar sein soll ... Man kann sagen, je offener und wahrhaftiger die Risiken und Gefahren technischen Fortschritts in einer Gesellschaft erkannt und diskutiert, je schneller und wirksamer sie eingegrenzt oder beseitigt werden, um so leichter hat es der technologische Fortschritt selbst.."

2   Technische Risiken in der Vergangenheit

Das Thema "Risiken der Technik" ist nicht neu. Technisches Handeln war stets und bleibt stets mit Risiken verbunden.

Im wichtigsten Buch des Altertums kann man eine technische Regel nachlesen: "Wenn Du ein neues Haus baust, sollst Du um die Dachterasse eine Brüstung ziehen. Du sollst nicht dafür, daß jemand herunterfällt, Blutschuld auf Dein Haus laden" (5. Buch Moses, 22, 8).

Auch der Codex Hammurabi enthielt als Gesetzeswerk bereits wichtige Hinweise für die Haftung von Baumeistern bei der Errichtung von Gebäuden.

Im Mittelalter waren die größten technologischen Leistungen in der Bergwerkstechnik zu finden. Für diesen Wirtschaftszweig wurden bereits vor ca. 500 Jahren entsprechende technische Regelwerke erstellt; damals allerdings mehr unter dem Aspekt der Sicherung der Produktion als zum Schutz der Bergleute.

In der Neuzeit wurde mit der Erfindung der Dampfmaschine vor 200 Jahren die industrielle Revolution in Europa eingeleitet.

Die technologische Sicherheit – sowohl bei den stationären Dampfkesseln als auch bei den Lokomotiven – wurde allerdings erst nach einer Reihe von schwerwiegenden Unfällen durch Aufstellung von technischen Regeln wesentlich erhöht (1).

Schauplatz einer Kesselexplosion im Jahre 1845 in Bolton, Großbritannien.

3   Schadenbeispiele aus technologischen Risiken der Gegenwart

Jede Zeit hat ihre Risiken. In unserem technischen Zeitalter bringen die Chancen der technischen Entwicklung entsprechend neuartige Risikokategorien.

Deshalb sollen aus der Fülle der verschiedenen Techniken im folgenden vier technische Größtschäden als Beispiele aus jüngster Vergangenheit vorgestellt werden. Sie sollen exemplarisch die Grenzen der Bandbreite unterschiedlicher Schadenarten, des Schadenumfangs und der Schadenursachen aufzeigen.

Eine der bisher segensreichsten Leistungen der Technik ist die weitgehende Befreiung des Menschen von mechanischer körperlicher Arbeit durch den elektrischen Strom aus Kraftwerken. Deshalb behandeln die ersten drei Beispiele Schäden aus der heute in öffentlicher Diskussion befindlichen

– konventionellen Kraftwerkstechnik

– nuklearen Kraftwerkstechnik

– alternative Kraftwerkstechnik.

Daran anschließend wird der Risikoverlauf eines großen deutschen Raumfahrtprojektes vorgestellt.

3.1 Schadenbeispiel: Konventionelle Kraftwerkstechnik

Der bisher größte Maschinenschaden in der Bundesrepublik Deutschland (8) ereignete sich am 31.12.1987 in einem konventionell mit Öl/Erdgas gefeuerten Dampfkraftwerk von 330 MW.

Das Schadenereignis ging vom Rotor der Niederdruck-Teilturbine aus. Der aus einem einzigen Stück geschmiedete Rotor zerbarst ohne Vorankündigung bei einem Kaltstart spontan und zerstörte diesen Turbinenteil total.

Der geborstene Turbinenrotor war mit einer Länge von ca. 7,5 m, einem maximalen Durchmesser (ohne Schaufeln) von 1,7 m und einem Gewicht von ca. 70 Tonnen bei seiner Herstellung im Jahre 1970 das bis dahin größte in der Bundesrepublik gefertigte Schmiedestück des Turbinenbaus.

Vor der Auslieferung dieses Prototypen im Jahre 1971 erfolgte die übliche Ultraschallprüfung. Hierbei wurde eine Materialinhomogenität nahe der Rotorachse als Befund festgestellt. Der Rotor wurde bei 25 % Überdrehzahl getestet und danach im fraglichen inhomogenen Bereich nochmals mit Ultraschall untersucht. Nach diesem planmäßigen Überbeanspruchungstest zeigten sich im Ultraschall-Echo keine Veränderungen. Der Rotor wurde daraufhin aufgrund zusätzlicher analytischer Festigkeitsbetrachtungen nach dem damaligen Stand des Wissens und der Technik als verwendbar für den Einbau in das Kraftwerk freigegeben.

Im Laufe des 15-jährigen Einsatzes absolvierte die Maschine 58 000 Betriebsstunden bei 728 Warm- und 110 Kaltstarts. In dieser Zeit wurden aus Sicherheitsgründen zusätzlich vier Überdrehzahl-Probeläufe durchgeführt.

Bei einem Kaltstart am 31.12.87 um 5 Uhr früh kam es unmittelbar vor dem Synchronisieren mit dem Netz bei 3000 Umdrehungen/Minute ohne jede Voranzeigen zum Schadenereignis. Aus den Betriebsaufzeichnungen wurden keine Hinweise auf die Schadenursache gefunden. Bruchmechanische und werkstoffkundliche Untersuchungen ergaben einen spontanen Sprödbruch des beim Kaltstart innen nur 15° C warmen Rotors innerhalb von weniger als 1/100 Sekunden. Der von der inhomogenen Stelle ausgehende primäre Riß in der Stahllegierung (die heute für derartige Läufer nicht mehr verwendet wird) spaltete den Läufer in Längsrichtung fast genau durch die Mittenachse in der Fehlstellenebene.

Die vom Herstellungsprozeß herrührenden, nahe der Läuferachse liegenden Fehlstellen sind im Bild der planen Bruchfläche als Zentrum der mechanischen Spannungen beim bruchmechanischen Berstvorgangs deutlich zu erkennen. Von hier ging der kalte Sprödbruch aus.

Das größte Bruchstück (23 Tonnen) fiel nach unten und blieb neben dem Kondensator liegen. Der Großteil der 30 anderen Rotor- und auch Turbinengehäuse-Bruchstücke mit Einzelgewichten bis zu mehreren Tonnen wurde durch das Maschinenhausdach bis zu 300 m weit geschleudert. Zwei Bruchstücke mit je etwa 1 Tonne Gewicht schlugen in Entfernungen bis zu 1,3 km in einem Acker ein.

Das Maschinenhaus wies beträchtliche Gebäudeschäden im Bereich der geborstenen Teilturbine auf. Das Dach war auf 15 m x 30 m zerstört. Personen kamen nicht zu Schaden. Der Sachschaden lag in der Größenordnung von 25 Mio DM. Er war durch eine Maschinenversicherung gedeckt.

Berstschaden an der zweiflutigen Niederdruck-Dampfturbine des öl-/gasge-
feuerten 330 MW-Dampfkraftwerkes Irsching (bei Ingolstadt) der Isar-Amper-
werke AG. Durchmesser des Bruchstückes 1,7 m, Gewicht 23 t.

3.2   Schadenbeispiel: Kernkraftwerktechnik

Der bisher schwerste Reaktorunfall ereignete sich am 26.04.86 im Block 4 des
Kernkraftwerkes Tschernobyl. Es handelt sich um einen 1983 in Betrieb genommenen leichtwassergekühlten graphitmoderierten Druckröhren-Siedewasserre-
aktor mit einer elektrischen Leistung von 1.000 MW.

Im April 86 stand eine jährliche Routinerevision an, die zur Durchführung
eines Turbinenversuches beim Abfahren des Reaktors genutzt werden sollte. In

dem Versuchsprogramm sollte geprüft werden, ob sich die Rotationsenergie der auslaufenden Turbine zur Notstromversorgung von Teilen der Reaktoranlage nutzen läßt.

Dieser Versuch wurde vom Betriebspersonal unter Bedingungen durchgeführt, die gegen Betriebsvorschriften verstießen. So wurden mehrere Leistungsregelungs- und Notkühlsysteme abgeschaltet, während der Reaktor mit reduzierter Leistung noch in Betrieb blieb. Diese Versuchsanordnung hätte für sich genommen den Unfall nicht herbeiführen können, wenn nicht ein Zusammenwirken von ungünstigen reaktorphysikalischen und sicherheitstechnischen Eigenschaften dieses Reaktortypes mit Bedienungsfehlern hinzugekommen wäre, die unter Mißachtung grundlegender Betriebsvorschriften und des Versuchsprogrammes erfolgten (9). Dadurch geriet der Reaktor beim weiteren Absenken der Leistung in einen instabilen Zustand. Obwohl der Reaktor in diesem niedrigen Leistungsbereich nicht betrieben werden durfte, wurde mit dem Turbinenversuch begonnen. Kurz nach dem Absperren der Dampfzufuhr zur Turbine kam es zu einer kritischen nuklearen Leistungsexkursion. Wegen des konstruktiv bedingten Verhaltens dieser Reaktorbauart, das durch einen selbsttätigen Leistungsanstieg beim Auftreten von Dampfblasen im Kühlwasser gekennzeichnet ist, konnte diese Leistungsexkursion durch die nur teilweise noch verfügbaren Regelsysteme nicht mehr verhindert werden. Durch die Leistungsexkursion auf das über 100fache der Auslegungs-Wärmeleistung wurde der Brennstoff (leicht angereichertes Uran 235) auf über 3000° C aufgeheizt. Damit folgte Brennstabversagen, eine Brennstoffzerlegung mit Dampfexplosion und Bersten der Kühlrohre durch den Überdruck. Die Dampfexplosion führte zur Zerstörung der gasdichten Blechumhüllungen des Reaktorkerns und des Reaktorgebäudes. Die Graphitblöcke heizten sich unter freiem Luftzutritt bis zum Graphitbrand auf über 1000° C auf. Eine Kühlung durch das Kühlrohrsystem war nicht mehr möglich. So kam es zu weiteren Zerstörungen im Reaktorkern und zur Kernschmelze.

Große Mengen radioaktiver Spaltprodukte aus zerstörten Brennelementen gelangten ins Freie. Sie wurden durch die Kaminwirkung des Brandes in große Höhen getragen und über weite Teile Europas verteilt. Die Freisetzungen aus dem Kern durch den Graphitbrand konnten erst nach 18 Tagen eingedämmt werden.

Der Reaktor wurde inzwischen mit 5000 Tonnen Sand, Lehm, Kalkstein, Bor und Blei bedeckt und bodenseitig vom Grundwasser hermetisch abgeschottet. Er wurde zusätzlich mit Schutzwänden umgeben, um einen sicheren Einschluß zu erreichen und eine weitere Freisetzung von Radioaktivität in die Umwelt auszuschließen.

RBMK-Reaktoren (Tschernobyl)
Keine druckfeste Sicherheitshülle:
Möglichkeit der Freisetzung radioaktiver
Spaltprodukte bei großen Unfällen

KWU-Druckwasserreaktor
Druckfeste Sicherheitshülle:
Zurückhaltung radioaktiver
Spaltprodukte bei großen Unfällen

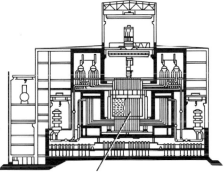 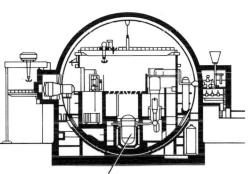

Reaktor: Graphitblock mit 1693 Kühlkanälen
und je 2 Brennelementen

Reaktor: Druckbehälter mit 194 Brennelementen

Fazit: Bei KWU-Reaktoren werden radioaktive Spaltprodukte in der druckfesten Sicherheitshülle zurückgehalten, wenn es zu schweren Störfällen käme.

Strahlenrisiko für die Umgebung bei Reaktorunfall. Quelle: Siemens/KWU

Bei dem *deutschen Druckwasserreaktortyp* befinden sich alle Brennelemente in einem gemeinsamen dickwandigen zylindrischen Druckbehälter. Als Neutronenmoderator und zugleich als Kühlmittel dient Wasser.

Die aus dem nuklearen Brennstoff Uran 235 durch Kernspaltung gebildeten radioaktiven Spaltprodukte und deren Strahlung werden zur Minimierung des

51

Risikos durch folgendes *Sicherheitskonzept* von sechs hintereinandergeschalteten Barrieren zurückgehalten:

1. Im *Kristallgitter* der Brennstofftabletten aus Urandioxid werden die festen Spaltprodukte zu fast 100 %, die gasförmigen zu etwa 90 % zurückgehalten.

2. Die restlichen radioaktiven Stoffe werden im gasdicht und druckfest verschweißten *Brennstoff-Hüllrohr* aus Zirkaloy-Metall eingeschlossen.

3. Bei Hüllrohrdefekten werden die aus dem Hüllrohr austretenden radioaktiven Stoffe durch den dickwandigen *Reaktordruckbehälter* und die Rohre des Reaktorkühlsystems eingeschlossen.

4. Zur Abschirmung gegen die radioaktive Direktstrahlung aus dem Reaktorkern dient eine *Betonabschirmung* für das Betriebspersonal:

   - ein Betonzylinder von ca. 2 m Dicke um den stählernen Reaktordruckbehälter

   - ein Schutzzylinder aus Beton von 1,6 m Dicke, der das Reaktorkühlsystem umgibt.

5. Für die radioaktiven Stoffe, die ggf. durch Leckagen oder Störfälle aus dem Reaktorkühlsystem freigesetzt werden, bildet eine gasdichte und druckfeste *Stahlkugel* von 38 mm Wandstärke und 56 m Durchmesser die vorletzte Barriere.

6. Die Stahlkugel wird zu ihrem Schutz noch von einer 2 m dicken äußeren *Stahlbetonhülle* umgeben. Der lufterfüllte Zwischenraum zwischen diesen beiden Barrieren wird auf Unterdruck gehalten. Die abgesaugte Luft wird gefiltert und überwacht.

Neben diesem *Barrierenkonzept* sind in der Bundesrepublik folgende sicherheitstechnische *Auslegungs- und Betriebs*grundsätze vorgeschrieben:

- Auslegung zur Beherrschung von Kühlwasserverlust-Störfällen durch den angenommenen Bruch einer Hauptkühlwasserleitung

- Auslegung gegen die Auswirkungen eines angenommenen Flugzeugabsturzes (Aufprall und Erschütterung), einer Explosions-Druckwelle und gegen Erdbeben

- Sicherheitstechnische Einrichtungen in mehrfacher (redundanter) Ausführung

- Räumliche Trennung und baulicher Schutz der Sicherheitssysteme zur Beherrschung von Einflüssen mit übergreifendem Charakter, z.B. Brand

- Hoher Automatisierungsgrad für die Störfallbeherrschung (30 min-Autarkie), wobei das Bedienungspersonal während dieser Zeitspanne nicht eingreifen muß

- Hohe Systemzuverlässigkeit durch regelmäßige System-Funktionsprüfungen und wiederkehrende Prüfungen an Komponenten.

Unter allen Techniken hat die Kernkraftwerkstechnik in der Bundesrepublik dadurch mit Abstand den höchsten Sicherheitsgrad. Zur Wahrung und Überwachung dieses Standards hat die Bundesregierung ein eigenes Ministerium eingerichtet. An diesem Sicherheitsstandard gemessen wäre der sowjetische Druckröhrenreaktor in der Bundesrepublik nicht genehmigungsfähig.

Die Bewertung des *Gesundheitsrisikos* aufgrund der radioaktiven Strahlenbelastung durch diesen schweren sowjetischen Unfall ergibt sich aus dem Vergleich mit der Höhe der effektiven Strahlendosis, denen das Leben auf der Erde durch natürliche Strahlenquellen seit jeher ohnehin ausgesetzt ist:

In der Bundesrepublik Deutschland beträgt die aus natürlichen Strahlungsquellen stammende mittlere effektive Strahlendosis für die Bevölkerung 17 mrem pro Monat. Dieser Mittelwert hat je nach Wohnort eine Untergrenze von 8 mrem (Nordseeküste) und ein Obergrenze von 40 mrem (Schwarzwald) pro Monat.

Die durch den Unfall im Kernkraftwerk Tschernobyl verursachte mittlere effektive Folgedosis für die Bevölkerung in der Bundesrepublik Deutschland aufgrund der Kontaminierung von Luft, Wasser, Boden und Lebensmitteln liegt mit 0,4 mrem sehr weit unterhalb dieses natürlichen Wertes (11).

3.3.   Schadenbeispiel: Alternative Energietechnik

Im Rahmen eines internationalen Forschungsvorhabens über die Nutzung alternativer Energiequellen wurden in Südspanien (Almeria) von der Internationalen Energieagentur IEA zwei nach verschiedenen Prinzipien arbeitende Sonnenkraftwerke als Prototypen errichtet. Beide Kraftwerke sind für eine elektrische Spitzenleistung von 500 kW ausgelegt. Sie sollen einen Vergleich zwischen den beiden Kraftwerkskonzepten unter gleichartigen Bedingungen ermöglichen. Das eine Kraftwerk arbeitet nach dem Farmkonzept, bei dem anderen handelt es sich um ein Sonnenturmkraftwerk.

Experimentelle Sonnenkraftwerke bei Almeria in Südspanien.

Bei dem Farmkonzept wird die Sonneneinstrahlung durch ein Feld parabolisch geformter Zylinderspiegel auf ein System von Dampferzeugerrohren konzentriert, die in der Brennlinie der Spiegel angeordnet sind.

Beim Turmkonzept konzentrieren viele Flachspiegel die einfallende Sonnenstrahlung auf einen zentralen Strahlungsempfänger. Er befindet sich oben auf der Spitze eines Turmes. Die Spiegel werden rechnergesteuert der Sonne nachgeführt. Der Strahlungsempfänger besteht aus strahlungsabsorbierenden Stahlrohren, die von flüssigem Natrium als Wärmeträger durchströmt werden.

Flüssiges Natrium überträgt Wärme besonders gut. Der drucklose Betrieb ermöglicht zudem eine dünnwandige kompakte Bauweise. Das in den Rohrbündeln auf 530° C erhitzte flüssige Natrium gibt dann in einem Wärmetauscher die Wärme an den Wasser-/Dampfkreislauf einer konventionellen Maschinenanlage zur Umwandlung in mechanische und elektrische Energie ab.

Daß auch solch ein umweltfreundliches Sonnenturmkraftwerk große technische Risiken aufweist, zeigt der im Maschinenhaus des Sonnenturmkraftwerkes am 18. August 86 eingetretene große Natriumbrand (10):

Natriumbrand im Sonnenturmkraftwerk Almeria/Südspanien am 18. August 1986. Quelle: Plus Ultra

Anlaß für den Feuerschaden war die Reparatur eines Ventils im Natrium-
kreislauf im Zuge von Wartungsarbeiten. Das Ventil wurde – nach vermeintli-
chem vorherigem Abkühlen der Natriumrohrstrecke unter Verfestigung des Na-
triums – zur Inspektion geöffnet. Es befand sich aber noch ein flüssiger
Natriumkern in der Leitung. Durch diesen Fehler flossen insgesamt 10 m^3
flüssiges Natrium aus. Flüssig-heißes Natrium entzündet sich an der Luft sofort.
Die Bodenkonstruktion und die darauf liegenden Gitterroste des Maschi-
nenhauses wurden durch den Natriumsprühbrand ausgeglüht, verformt und ver-
brannt. Da keine ausreichenden baulichen Trennungen zwischen dem Raum, in
dem die Natriumbehälter untergebracht waren (insgesamt 70 m^3 Natrium), und
dem übrigen Maschinenhaus bestanden, konnte sich das Feuer auch auf andere
Anlagenteile ausbreiten.

Der Brand griff durch eine Metalltür hindurch auf den Kontrollraum über
und zerstörte die elektronischen Steuerungseinrichtungen.

Das Löschen derartiger Metallbrände ist mit üblichen Löschmitteln wie
Wasser, Schaum oder CO_2 nicht möglich. Das Feuer wurde nach etwa drei Stunden von der hierfür ausgebildeten Betriebsmannschaft und der Feuerwehr mit
einem Speziallöschmittel auf Graphitbasis eingedämmt.

Für die Wiederherstellung des früheren Zustandes wären ca. 12 Millionen
DM aufzuwenden gewesen. Der Schaden war versichert. Beim Wiederaufbau
wurde die technische Konzeption der Anlage geändert.

3.4   Schadenbeispiel: Raumfahrttechnik

Die Regierungen in Bonn vereinbarten 1980 die gemeinsame Verwirklichung eines neuen Konzeptes von Fernsehsatelliten. Die bisher betriebenen "Verteilsa-
telliten", wie die Intelsat-Familie oder die ECS-Baureihe (European Communication Satellite) sind auf der Erde bisher nur mit großen Parabolantennen von
mehr als 3 m Durchmesser empfangbar. Im Unterschied hierzu soll in Zukunft
jeder Bundesbürger mit einer eigenen Schüsselantenne von 60-90 cm Durchmesser und einem zusätzlichen Vorschaltgerät Fernseh- und Rundfunkprogramme
erstmals "direkt" vom Satelliten in höchster digitaler Bild- und Tonqualität emp-
fangen können.

Die um das 20-fache höhere Sendeleistung solcher direktsendenden Satelliten erfordert eine neue Senderöhrentechnik, die in Deutschland entwickelt wurde.

Die Programme, die dieses von der Deutschen Bundespost in Auftrag gegebene Fernseh-/Rundfunk-Satellitensystem TV-SAT abstrahlen soll, sind die öffentlich-rechtlichen Satellitenprogramme 1 Plus (ARD) und 3 Sat (ZDF) sowie die privaten Programme SAT 1 und RTL-plus. Hinzu kommen 15 Stereo-Hörfunkprogramme in digitaler CD-Tonqualität – "eine neue Rundfunkära".

Der TV-SAT ist etwa 2 Tonnen schwer, 2,3 m hoch, 2,4 m lang und 1,6 m breit. Mit seinen beiden entfalteten Solargeneratoren hat er eine Spannweite von 18 m. Er wurde von der Firma Eurosatellite hergestellt. Sechs europäische Luft- und Raumfahrt- sowie Telekommunikations-Unternehmen arbeiten hierbei zusammen.

Das deutsche TV-SAT-System besteht aus zwei baugleichen Satelliten TV-SAT 1 und TV-SAT 2. Die Entwicklungs- und Baukosten für diese beiden Satelliten sowie die Kosten für den Bau der Bodenanlagen und die gesamten Personalkosten einschließlich der Startkosten bis zur Positionierung in der geostationären Bahn in 36 000 km Höhe über dem Äquator liegen bei 900 Mio. DM. Die Kosten des Raketenstarts in Höhe von ca. 150 Mio DM sind darin enthalten.

Der Start von TV-SAT 1 am 27.11.87 mit der europäischen Trägerrakete Ariane 2 vom Raumfahrtbahnhof Kourou dicht am Äquator in Französisch-Guyana verlief erfolgreich. Es war der 20. Start dieses von 12 europäischen Ländern gemeinsam entwickelten Trägersystems. Dabei waren bisher 4 Fehlstarts zu verzeichnen.

TV-SAT: Erster direktsendender Fernseh-/Rundfunksatellit für die Bundesrepublik Deutschland in geostationärer Umlaufbahn über dem Äquator. Quelle: MBB-ERNO

Eineinhalb Stunden nach dem planmäßigen und problemfreien Start der Ariane 2 zeigten sich beim Satelliten Schwierigkeiten am Entfaltungsmechanismus der großen Solarzellengeneratoren: einer der beiden Ausleger ließ sich nicht ausfahren. Der aus vier zusammengefalteten Teilen bestehende Solargenerator zur Energieversorgung des Satelliten blieb am Aluminiumkörper des Satelliten unbeweglich angeklappt. Dadurch konnte der Empfangsspiegel für die Bodensignale, die der Satellit empfängt und verstärkt, nicht zu den Bodenanlagen hin ausgerichtet werden. Das Empfangs- und Sendesystem sowie das Energieversorgungssystem waren damit blockiert. Nach der Positionierung im geplanten Orbit wurde von der Erde aus durch gesteuerte "Rüttelmanöver" mittels getakteter Zündungen der Lageregulierungstriebwerke versucht, den klemmenden Ausleger zu lösen.

Drei Monate lang wurde der Satellit von der deutschen Bodenstation aus in 36 000 km Höhe gedreht und geschüttelt, um den Solargenerator zur Entfaltung zu bringen. Der Treibstoffvorrat wurde dadurch reduziert, die vorgesehene nutzbare Lebensdauer dabei zunehmend verringert.

Bei der systematischen Suche nach dem Fehler waren insgesamt 50 Fehlerquellen denkbar. Durch gezielte Tests schied eine nach der anderen aus, bis nur noch 13 Möglichkeiten übrigblieben.

Den wahrscheinlichsten Fehler vermuten die Fachexperten bei zwei Dämpfungselementen, die das Zurückschnellen der Verbindungshaken beim Öffnen des Solarflügels bremsen sollten. Man nimmt an, daß diese Dämpfer beim Zusammenbau am Startplatz in Kourou vertauscht eingesetzt wurden.

Nach einem letzten Manöver im Februar 1988 erklärte das Bundespostministerium die Mission des havarierten Satelliten für gescheitert. Der Totalverlust bedeutet für die Bundespost einen Schaden von ca. 300 Mio DM. Das Risiko, daß der Fernseh-/Rundfunksatellit TV-SAT 1 nicht oder nicht voll funktionieren könnte, war von der Bundespost bei einem Konsortium von Erstversicherern und deren Rückversicherern teilversichert.

Der für die Bundespost und für die Fernsehöffentlichkeit wertlose Satellit wurde anschließend als Forschungsobjekt für ein Technologieprogramm genutzt. An diesem Lernobjekt wurden noch 4 Monate lang Erfahrungen und Daten über die technische Handhabung und die Funktionen des TV-SAT in seiner Bahn gesammelt. Diese betriebstechnischen Kenntnisse werden beim Start von TV-SAT 2 und dem baugleichen französischen Satelliten TDF genutzt.

4   Risiko als meßbares Schadenpotential

Aus Schaden wird man klug - sagt der Volksmund. Deutlicher noch weist ein anderes Sprichwort auf drei Wege hin, die zur Erkenntnis führen:

- Eigenes Nachdenken

  - der beste und zugleich der am seltensten beschrittene Weg

- Irrtümer und Fehler anderer

  - der einfachste und zugleich der übliche Weg

- Eigene Schadenerfahrung

  - der schmerzhafteste und zugleich der wirksamste Weg.

Von der Bevölkerung wird Risiko eher qualitativ wahrgenommen. Die Risikoeinschätzung beruht meist weniger auf objektiven Kenntnissen, sondern vielfach eher auf subjektiven Empfindungen. *Akzeptanz* von Technik und ihren Risiken ist also wesentlich durch die subjektive Meinung des Einzelnen geprägt. Bei der Risikobeurteilung wird leichter einer Person als einem objektiven Sachverhalt geglaubt.

Häufig vorkommende Risiken sind jedoch objektiv *meßbar*:

So kann man beispielsweise alle Menschen, die mehr oder weniger dem gleichen Risiko unterliegen, in einer Gruppe zusammenfassen, z.B. alle Flugzeugpassagiere, alle Autofahrer, alle Raucher usw. (2).

Setzt man ihre Zahl mit der Anzahl der Opfer, die während eines Jahres auftreten, ins Verhältnis, dann stellt der so gebildete Quotient die Größe der Gruppe oder der "Risikogemeinschaft" dar, in der sich der Einzelne befindet.

Ein Beispiel verdeutlicht dies:

1983 kamen von 60 Millionen Einwohnern der Bundesrepublik bei *Autounfällen* etwa 12.000 Menschen ums Leben. Die statistische Wahrscheinlichkeit, durch einen Autounfall ums Leben zu kommen, betrug für den Bundesbürger also etwa $12.000 : 60.000.000 = 1 : 5.000 = 1 : 5 \times 10^3$, d.h. der deutsche Autofahrer befindet sich in einer Risikogemeinschaft von 5000 Menschen, bei der innerhalb eines Jahres *ein* Todesopfer durch ein Autounglück zu beklagen ist.

Weil zwischen den Größen solcher statistischer Risikogemeinschaften eine enorme Spannweite liegt, stellt man sie – ähnlich wie bei der bekannten Richter-Skala für Erdbeben – nach Zehnerpotenzen (d.h. logarithmisch) eingeteilt dar (2).

Man erhält so eine objektive Skala zur Messung von häufig vorkommenden, statistisch erfaßbaren Risiken und kann einen entsprechenden Sicherheitsgrad zahlenmäßig definieren. (Bild).

Bei der *Bewertung von Alltagsrisiken* und deren Inkaufnahme oder Ablehnung sollte man sich einer derartigen objektiven Meßskala bedienen und sich vergleichsweise am Sicherheitsgrad des Autofahrers orientieren.

Objektive Messung von Risiko

Alltagsrisiken: Jährliche Eintrittswahrscheinlichkeit des Todesfallrisikos eines Menschen in einer Risikogemeinschaft von 10^m gleichartig gefährdeten Personen

5   Chance und Risiko in der Technik

Bei der Risikobewertung in der Technik ist zunächst der Risikobegriff näher zu definieren:

Risiko R   = Schaden S × Eintrittswahrscheinlichkeit E_S

Chance C = Nutzen N   × Eintrittswahrscheinlichkeit E_N

Sinn und Ziel der Entwicklung und des Einsatzes von Technik ist die Maximierung des Chancen/Risiko-Verhältnisses über die gesamte Lebensdauer der technischen Einrichtung.

$$\frac{\text{Chance C}}{\text{Risiko R}} = \frac{N \times E_N}{S \times E_S} = \text{Maximum}$$

Technik ist die Kunst (τέχνη), dieses Maximum möglichst kostengünstig zu erreichen.

Der Entwicklungsingenieur maximiert den Zähler, der Schadeningenieur minimiert den Nenner. Dabei bleibt stets ein Restrisiko R > 0.

Risiko und Chance in der Technik.

Das *Risiko R* setzt sich aus zwei Größen zusammen, aus der Schadenhöhe S und aus der Ereignishäufigkeit bzw. der Eintrittswahrscheinlichkeit E_S:

$R = S \times E_S$ = Schadenhöhe x Ereignishäufigkeit des Schadens.

Sach- und Vermögensschäden – letztlich auch der Personalschaden – sind dabei in Geld zu bemessen.

Gleiches gilt für die *Chance C*. Sie besteht aus dem Nutzen N und aus der Ereignishäufigkeit bzw. Eintrittswahrscheinlichkeit E_N.

$C = N \times E_N$ = Nutzen x Ereignishäufigkeit des Nutzens.

Auch der Nutzen ist in Geld zu messen.

Geld als gemeinsames Maß für Nutzen und Schaden kann zwar nicht alle menschlichen Wertvorstellungen und nicht alle Aspekte und Auswirkungen technischen Handelns bewerten; Geld ist aber der größte gemeinsame Nenner unter allen denkbaren Maßstäben.

Risiko und Chance unterscheiden sich nur darin, daß die Chance mit einem positiven, das Risiko mit einem negativen Ergebnis verbunden ist. Chance und Risiko sind stets untrennbar miteinander verkettet. Dies gilt auch in der Technik, denn die Entwicklung und der Einsatz von Technik erfolgt *vor allem* in der Absicht, unsere Chancen durch die Erleichterung der Lebensbedingungen entscheidend zu erhöhen.

Das Chance- / Risiko-Verhältnis

$$\frac{C}{R} = \frac{N \times E_N}{S \times E_S}$$

ist also quantifizierbar und sollte beim vernünftigen Einsatz von Technik einen möglichst hohen Wert haben. Dies genau ist *Sinn und Ziel der Entwicklung und des Einsatzes von Technik*. (3).

Technik ist die Kunst (τέχνη), dieses Maximum möglichst kostengünstig und umweltfreundlich zu erreichen.

Dieser Quotient mit seinen vier Kenngrößen ist ein objektives und quantitatives Kriterium zur vergleichenden Risikobewertung der verschiedenen Einzeltechniken und ihrer möglichen Alternativen.

Die genannten vier Kenngrößen führen zu den praktischen betriebstechnischen und betriebswirtschaftlichen Bewertungskennzahlen für die Einzeltechniken bzw. für technische Anlagen, nämlich die

- Produktivität (Nutzen/Kosten-Verhältnis)

- Verfügbarkeit/Ausfallwahrscheinlichkeit

- Reparaturhäufigkeit

- Umwelt-Vorsorgekosten/Folgekosten

- Wirtschaftliche Lebensdauer

- Sicherheit (wahrscheinlicher, möglicher Höchstschaden).

Umgekehrt läßt sich aus diesen in der Praxis ermittelten Betriebskenngrößen das Chance-/Risiko-Verhältnis der verschiedenen Einzeltechniken und von technischen Einrichtungen (Anlagen, Verfahren, ...) zahlenmäßig ermitteln und zur objektiven Bewertung vergleichen.

Mit der Maximierung des Nutzens (also mit dem Zähler dieses Quotienten) befaßt sich üblicherweise der *Entwicklungs*ingenieur. Der *Schaden*ingenieur, dessen Berufsbild und Tätigkeit in der Öffentlichkeit viel weniger bekannt ist, befaßt sich dagegen mit der Minimierung des Schadens (also mit dem Nenner dieses Quotienten).

Die *Risiko- und Schadenforschung* hat sich zusammen mit der *Sicherheitstechnik* inzwischen zu einem eigenen Fachgebiet entwickelt. Eine der wichtigsten Aussagen dieser Fachdisziplin ist dabei die unabänderliche Tatsache, daß es keine absolut Sicherheit (R = 0) in der Technik gibt.

Durch die Fülle möglicher Gefahren/Fehler/Schäden (Kap. 8.1.) bleibt stets ein nicht ausschließbares endliches *Restrisiko* (R > 0) übrig – wenn es auch noch so klein ist.

Die Bewertung des Gutes *Umwelt* kann von verschiedenen Ansätzen ausgehen. Ein Bewertungsansatz für dieses nicht handelbare Sozialgut besteht darin, über die Preise auf einem Ersatzmarkt, der dem Umwelteinfluß unterliegt, zu einer Bewertung zu gelangen. So sind z.B. Eigenheime in der Nähe von Flughäfen billiger als an Seeufern. Arbeitnehmer, die Umweltrisiken ausgesetzt sind, verdienen meist mehr als ihre Kollegen in vergleichbarer Stellung. Ein anderer Ansatz besteht darin, festzustellen, wieviel man für die Erhaltung oder Sanierung der Umwelt zu zahlen bereit ist bzw. welche Kostenbelastung die Industriebetriebe aufgrund der Umweltverordnungen nach dem Verursacherprinzip zu tragen haben.

Eine tiefergehende *Bewertung von Umweltrisiken*, die sich aus dem Einsatz von Technik ergeben, führt über eine rein monetäre betriebswirtschaftliche Bewertung hinaus. Sie erfordert ein erweitertes Verständnis der volkswirtschaftlichen und ökologischen Gesamtzusammenhänge.

Die *Unfallforschung* befaßt sich schwerpunktmäßig mit *Personenschäden*, insbesondere im Vorsorgebereich durch Unfallverhütungsvorschriften. Die haftungsrechtlichen Bewertungskriterien wurden dabei in jüngster Zeit durch das neue Produkthaftpflichtgesetz und dem Übergang von der Verschuldenshaftung zur Gefährdunghaftung verschärft.

Die subjektive Beurteilung von Gefahren kann erheblich von der objektiven Risikoanalyse abweichen. *Technik-Kritiker* neigen dazu, in der Restrisiko- und Umweltdiskussion neben den Chancen der Technik diejenigen Risikoelemente auszuklammern, die unser Leben seit jeher charakterisieren. Dies kann dann den irreführenden Eindruck erwecken, daß technische Risiken unabhängig neben den genannten allgemeinen Alltagsrisiken stehen, denen wir ohnehin ständig ausgesetzt sind.

6 Elemente der Risikoanalyse

Risikoanalyse ist die planmäßige Erfassung des Gefahrenpotentials, das einen technischen Betrieb aus seinem Inneren heraus und in Wechselwirkung mit seinem Umfeld gefährden kann.

Im Grunde wendet jeder Mensch dieses Verfahren im Alltag – fast selbstverständlich – an.

Die Elemente sind seit Urzeiten bekannt, sie werden in der Risikoanalyse nur logisch zusammengefügt, systematisiert und zweckmäßig organisiert (3) (4).

Die vier Elemente bzw. Phasen, welche die Grundlage der Risikoanalyse bilden, sind die

- Risikoerkennung,

- Risikobewertung,

- Risikobegrenzung bzw Risikominderung,

- Risikofinanzierung.

Die *Risikoerkennung* ist die Identifizierung der Gesamtheit potentieller Gefahren.

Die *Risikobewertung* versucht, die erkannten Risiken zu quantifizieren.

Die Risikopyramide stellt das Ausmaß (nach oben) und die Anzahl (nach rechts) von Schäden schematisch dar. Die Häufigkeit nimmt nach oben hin ab, das Schadenausmaß nimmt dabei zu.

Die *Risikobegrenzung* klärt, welche *Maßnahmen* zur Schadenverhütung anzuwenden sind, und zwar vor, während und nach Eintritt des Schadens. Die damit verbundenen Kosten müssen hierbei beziffert werden.

Die *Risikofinanzierung* hat nach Erkennung und Bewertung die notwendigen Maßnahmen zur Begrenzung und Minderung der Risiken zu finanzieren, z.B. durch

- eigene Vorsorgemaßnahmen,

- Einsatz von eigenen/fremden Finanzmitteln,

- Versicherung.

66

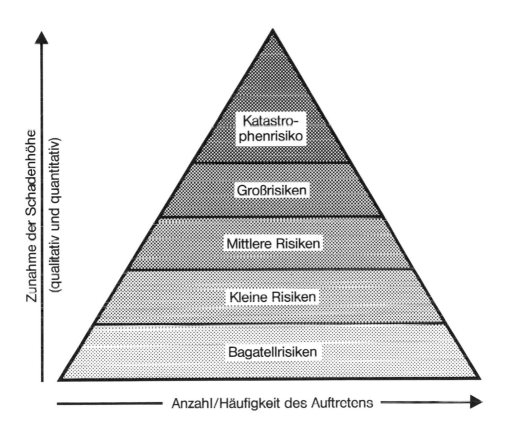

Risikopyramide: Prinzipdarstellung von Ausmaß und Anzahl möglicher Schäden.

7 Risiken im technischen Betrieb

Bei der Identifizierung und Analyse betrieblicher Risiken steht das wirtschaftliche Unternehmerrisiko zunächst an erster Stelle. Es ist abhängig von der allgemeinen wirtschaftlichen Entwicklung, von der Tendenz der Branchenentwicklung und der Stellung des Unternehmens im Wettbewerb.

Im Rahmen dieses Vortrages über die technische Risikobewertung stehen diese rein betriebs- und marktwirtschaftlichen Risiken jedoch nicht im Vordergrund.

Die Struktur der hier vor allem zu untersuchenden Risiken läßt sich gliedern in

- Sachrisiken

- Haftungsrisiken

- Personalrisiken.

Aufgabe einer betrieblichen Risikoanalyse ist es, das Gefährdungsbild eines Unternehmens mit allen seinen vernetzten Abhängigkeiten bei Störungen von innen und bereichsübergreifenden Außeneinflüssen zu erfassen (5).

Die einzelnen Unternehmensbereiche wie Fertigung, Datenverarbeitung, Lager, Forschung, Energieversorgung, Abwasserreinigung, ... sehen ihre bereichsinternen Risiken mitunter ohne Berücksichtigung der Quervernetzung sowie der Einflüsse von und nach außen.

Erst eine ganzheitliche Risikoerkennung kann die spezifische betriebliche Risikostruktur und das mögliche Schadenpotential in geeignete Risikokategorien einteilen und bewerten.

Wirtschaftliche Unternehmens-risiken	Sachrisiken	Haftungsrisiken	Personalrisiken
○ Nicht berechen-bares Risiko der – allgemeinen wirtschaftlichen Entwicklung – Branchen-entwicklung – Wettbewerbslage	○ Feuer ○ Explosion ○ Montagerisiken ○ Maschinenbruch ○ Betriebs-unterbrechung ○ Pönalen ○ Naturgefahren	○ Betriebs-haftpflicht ○ Produkt-haftpflicht ○ Umwelt-haftpflicht ○ Garantie	○ Verlust von Führungskräften ○ Vertrauens-schadenrisiko: – Unterschlagung – Betrug – Untreue – Sabotage – Computermißbrauch – Diebstahl ○ Streik ○ Zusagen betrieblicher Altersversorgung

Risiken eines Industriebetriebes.

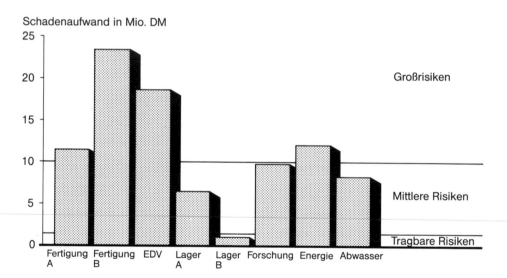

Beispiel einer Risikobewertung in einem technischen Betrieb.

Die wirksamste und wirtschaftlichste Maßnahme zur betrieblichen Risikovorsorge ist eine bereits im *Planungsstadium* durchgeführte Risikoanalyse. Sie bestimmt die anschließende sicherheitstechnische Auslegung und ist damit von größter Bedeutung für den Sicherheitsstandard beim späteren Betrieb der Anlage.

Die *Bau- und Montagephase* bietet die weitere Möglichkeit und Chance, über die geplante Sicherheit hinaus zusätzliche ausführungsabhängige Risikofaktoren zu beurteilen und ständig zu beobachten.

Während der besonders schadenträchtigen *Inbetriebnahme* sind alle erforderlichen Betriebsvorschriften und Maßnahmen festzulegen, die für den späteren *Betrieb* in das Betriebshandbuch aufzunehmen sind.

In keiner dieser Phasen ist die Analyse der Risiken ein einmaliger abschließbarer Vorgang, sondern ein ständiger Iterationsprozeß für notwendige Vorsorgemaßnahmen zur Risikobegrenzung.

8 Risikobewertung und -begrenzung durch

8.1. Schadenforschung

Schadenforschung befaßt sich als praxisbezogene Grundlagenforschung mit der *Risikoanalyse* und der *Schadenanalyse*. Sie verfolgt das Ziel, den Schadenaufwand für technische Risiken zu senken. Sie untersucht Schadenursachen, Schadenauswirkungen und Schadenhäufigkeiten, sie entwickelt Prüftechniken, Reparaturtechniken, Verfahren für die Vorsorgeuntersuchung sowie Vorschläge und Richtlinien zur Schadenverhütung (6).

Die methodische Erforschung der Vielfalt von *Fehlerarten* und *Schadenarten* kann wegen des z.T. außerordentlich hohen Kostenaufwandes allerdings nur in wenigen spezialisierten Instituten systematisch betrieben werden.

Die *Risikoanalyse* arbeitet mit den bekannten Methoden der

- Schadenstatistik

- Schwachstellenanalyse

- Ausfallanalyse

- Fehlerbaumanalyse.

Dieses Instrumentarium ermöglicht in Verbindung mit der *Schadenanalyse* die quantitative Abschätzung des Einzelschadenpotentials, d.h. die Ermittlung von Schadenschwerpunkten und des *wahrscheinlichen Größtschadens* in Abgrenzung zum *technisch möglichen Größtschaden*.

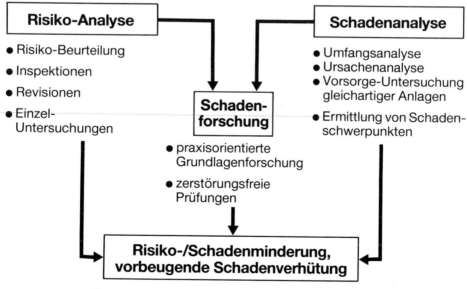

Analyse von Risiken und Schäden.

Diese Begriffe sind für die technische Risikobewertung von ausschlaggebender Bedeutung.

8.2. Schadenverhütung

Die wichtigsten Sicherheitsgrundsätze und Regeln der Technik, welche auf die Verminderung von Risiken und die Verhütung von Schäden abzielen, sind als maßgebende Vorschriften für die technische Planung verbindlich festgelegt in Form einschlägiger

- Gesetze   (Atomgesetz, Wasserhaushaltsgesetz, ...)

- Verordnungen   (TA-Luft, TA-Abfall, ...)

- Richtlinien   (des VDI, VDE, ...)

- Normen   (DIN, ISO, ...).

Die anlagenspezifischen Risikoaspekte müssen bereits in der Planung, Entwicklung, Konstruktion, Montage und im Betrieb im jeweiligen *Lastenheft* des Konstrukteurs, des Projektleiters und des Betreibers identifiziert und spezifiziert werden. *Checklisten* sind angewandtes Fehlerwissen; sie ermöglichen jeweils die systematische Kontrolle der vorgesehenen Maßnahmen und dienen zur Vermeidung subjektiver und objektiver Risiken.

Der *Sicherheitsingenieur* untersucht in allen Phasen die verschiedenen Aspekte der Anlagensicherheit. Er erarbeitet ein

- Brandschutzkonzept

- Überwachungskonzept

- Alarmkonzept

- Katastrophenkonzept.

Die speziellen Vorsorgemaßnahmen zur Schadenverhütung basieren insbesondere auf Erkenntnissen und Erfahrungen, die systematisch aus *Schadenuntersuchungen* gewonnen werden (6).

Hierzu gehören vor allem die

- Durchführung von *Inspektionen* und regelmäßigen *Revisionen* z.B. an energietechnischen Anlagen, wie Dampf-, Gas- und Wasserturbinen, Generatoren, Dieselmotoren, Elektromotoren, Kompressoren, Kesseln, Rohrleitungen usw.

- Veranlassung von *Vorsorgeuntersuchungen* an Maschinen und Anlagen mit dem Ziel einer *Schadenfrüherkennung* bei Soll/Ist-Abweichungen oder bei Schadenverdacht

- Planung von Redundanzen, *Ausweich- und Ersatzmöglichkeiten*

- *Betriebsberatung* mit Vorschlägen zur Verbesserung von Bedienung und *Wartung* von Anlagen sowie die Kontrolle von Meß-, Warn- und Schutzeinrichtungen

- *Risikobeurteilung*, besonders bei Neukonstruktionen und Erstausführungen, mit dem Ziel einer möglichst objektiven Risikoeinschätzung.

Alles in allem gilt der Grundsatz: Schadenverhütung ist besser als Schadenvergütung.

8.3. Versicherung

Die Versicherung von Risiken technischer Anlagen ist meist das wirtschaftlich zweckmäßigste Instrument zur Risikominderung. Denn trotz sorgfältiger Analyse und getroffener Vorsorgemaßnahmen kann dennoch das Restrisiko durch ein unvorhergesehenes Ereignis zum Schaden führen.

Das *kollektive Risiko* einer Gefahrengemeinschaft äußert sich als *individueller Schaden*. Durch eine Versicherung wird dieser individuelle Schaden von der Solidargemeinschaft aller Versicherten kollektiv getragen.

Versicherung ist die Übernahme zukünftiger unvorhergesehener Schäden gegen Bezahlung eines im voraus vereinbarten Beitrags (Prämie).

Aus dem individuell nicht kalkulierbaren Einzelrisiko einer technischen Einrichtung wird dadurch ein kalkulierbarer Kostenfaktor. Diese Kosten liegen bei den Technischen Versicherungen größenordnungsmäßig zwischen 1 und 10 Promille des versicherten Wertes pro Jahr.

Der in den Tarifbüchern der Technischen Versicherer statistisch ermittelte *Durchschnitts-Schadensatz* (= Gesamtschadensumme dividiert durch Gesamtversicherungssumme) für die verschiedenen Arten von technischen Anlagen, Maschinen, Geräten usw. ermöglicht für jede dieser technischen Risikogruppen eine direkte *statistische Risikobewertung.*

Man kann damit in direkter Analogie zur objektiv messenden Bewertung statistischer Alltagsrisiken (Kap. 4) einen *durchschnittlichen Sicherheitsgrad* m definieren und in Zehnerpotenzen (logarithmisch) messen:

$$\text{Schadensatz} \qquad \frac{1}{10^3} \text{ bis } \frac{10}{10^3} = \frac{1}{10^3} \text{ bis } \frac{1}{10^2} = \frac{1}{10^m}$$

Der durchschnittliche Sicherheitsgrad m risikobehafteter (und daher versicherter) technischer Objekte hinsichtlich (versicherter) technischer Sachschäden liegt demnach bei

$$m = 2 \text{ bis } 3.$$

Die Versicherungswirtschaft hat für die einzelnen Risikokategorien speziell angepaßte *Deckungskonzepte* entwickelt:

Von der Planung und Konstruktion über Bau und Montage mit Probebetrieb, für den anschließenden kommerziellen Betrieb und selbst für den Fall einer anschließenden Betriebsunterbrechung bestehen Absicherungsmöglichkeiten durch

- Planungshaftpflichtversicherung

- Transportversicherung

- Bau- und Montageversicherung

- Garantieversicherung

- Maschinenversicherung

- Betriebsunterbrechungsversicherung.

Die Interessen des Versicherers und des Versicherungsnehmers sind dabei gleich orientiert: beide wollen keine Schäden.

9   Technische Sicherheitsziele

In einem verantwortungsbewußt geführten Unternehmen sollte man nicht erst *nach* eingetretenen Schäden über deren künftige Vermeidung *reaktiv nachdenken*; man sollte nach dem Grundsatz der Prävention schon *vor* dem Eintritt größerer Schäden ein betriebliches Sicherheitskonzept *aktiv vordenken*.

Das Sicherheitskonzept erarbeitet man durch eine Analyse der Betriebsrisiken, z.B. mit Hilfe folgender Fragestellungen (5):

Ablauf \ Risikobereiche	Unternehmensführung Beschaffung Verwaltung Produktion	Energie-, Wasserversorgung Vertrieb EDV Qualitätsprüfung	Transport Brandschutz Umweltschutz Montage Arbeitsschutz	Forschung Entwicklung Versicherung
Risikoerkennung	Wo liegen auslösende Risikofaktoren? Welche Ereignisse können auftreten? Wer ist betroffen? (Mensch, Maschine, Produktionsmittel)			
Risikoanalyse	Wie wahrscheinlich sind diese Ereignisse? Welche Konsequenzen für Mensch, Maschine, Produktionsmittel?			
Risikoinventar	Gibt es schon Schadenverhütungsmaßnahmen? Was ist über Versicherungen abgedeckt?			
Alternativen	Welche Sicherungs-Alternativen sind möglich? Welche Ereignisse sind zu erwarten? Was kosten diese?			
Ergebnisbewertung	Risikobereitschaft des Managements? Risikopolitische Ziele?			
Entscheidung	Welche Alternative bringt den größten Nutzen? Wie ist das Restrisiko zu gestalten?			
Einführung / Kontrolle	Wie wird das gewählte Sicherheitskonzept eingeführt? Wie und wann wird kontrolliert?			

Methodik und Ablauf der Risiko-Analyse im Industriebetrieb.

Erkannte und analysierte Risiken ermöglichen die Definition von *Sicherheitszielen*. Der Weg zu diesen Zielen führt über die Untersuchung verschiedener Sicherungsalternativen. Die Entscheidung über das betriebsspezifisch geeignetste Sicherheitskonzept wird vor allem durch deren jeweilige Sicherheits- und Schadenverhütungskosten sowie durch das jeweilige Restrisiko bestimmt. Dieses Restrisiko muß erkannt und kalkulierbar gemacht werden.

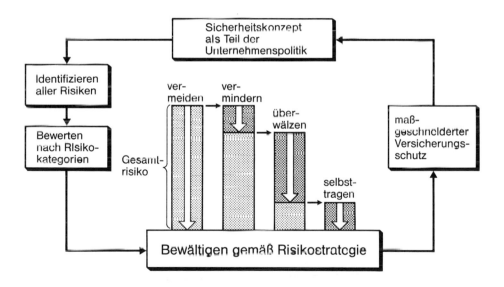

Sicherheitskonzept als Teil der Unternehmenspolitik.

Das Sicherheitskonzept beginnt mit dem bewußten Erkennen, Identifizieren und Bewerten aller Einzelrisiken des Betriebes (5).

Die Strategie zur Bewältigung des Gesamtrisikos erfolgt meist in vier Schritten:

- Wenn möglich bzw. sinnvoll durch *Vermeiden* des Risikos (1. Säule im Bild).

- Manche Unternehmensrisiken werden wegen ihres hohen Schadenpotentials erst durch *Vermindern* des Risikos überschaubar (2. Säule im Bild).

- Die am häufigsten praktizierte Methode der Risikominderung ist das *Überwälzen* auf eine Gefahrenträgergemeinschaft durch Versicherung (3. Säule im Bild).

- Tragbare Risiken können dabei im *Selbstbehalt* eines maßgeschneiderten Versicherungsschutzes übernommen werden (4. Säule im Bild).

Je besser ein Betrieb seine Risiken kennt, desto besser wird er auch die Auswahl und/oder Kombination der im Bild dargestellten Schritte zur Risikobewältigung vornehmen können.

Von großer betriebswirtschaftlicher Bedeutung ist dabei das Ziel eines möglichst effizienten Mitteleinsatzes zur Schadenverhütung und Sicherheitserhöhung (3).

Abhängig vom Grad der angestrebten zusätzlichen Sicherheitserhöhung ergibt sich aus

- den Kosten für sicherheitserhöhende Maßnahmen (a) und

- dem infolge dieser Maßnahmen verringerten Schadenaufwand (b)

bei der Finanzierung eines Risikos ein individuell typisches Minimum für die resultierenden Gesamtkosten (a + b) nach der Durchführung der sicherheitserhöhenden Maßnahmen.

Das Erreichen dieses Kostenminimums setzt die Kenntnis und Bewertung der Risiken voraus. Die Kenntnis der Lage des Minimums ermöglicht dann

- die sinnvolle Festlegung des anzustrebenden *Restrisikos* (= Abstand von der theoretischen 100 %- Sicherheitsmarke) und

– die zweckmäßige Versicherung des dann noch verbleibenden Restrisikos und des mit ihm verbundenen Schadensaufwandes (b).

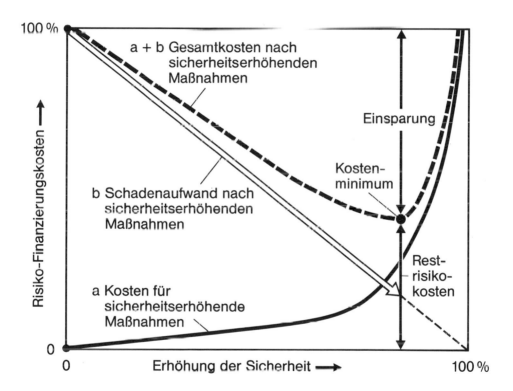

Finanzierungskosten eines Risikos nach Durchführung von sicherheitserhöhenden Maßnahmen, abhängig vom Grad der angestrebten Sicherheit (schematisch).

10 Schadenstatistische Risikobewertung

Hat man das Risiko von Techniken zu beurteilen, bei denen aus vielen Einzelfällen der Risikoverlauf bekannt ist (z.B. Pkw-Schäden, Luftfahrt, ...), so ist die Risikobewertung vor allem ein Problem der Statistik (13).

Ziel jeder Statistik ist es, einen zusammenfassenden Überblick über viele Ereignisse zu vermitteln und diese Vielzahl durch wenige Kennzahlen so zu verdichten, daß ohne wesentlichen Informationsverlust die Grundstruktur erkennbar wird.

Eine Risikostatistik sammelt alle wesentlichen Daten über den beobachteten Verlauf möglichst vieler und möglichst gleichartiger Risiken. Sie ermöglicht dadurch eine *nachträgliche* Risikobewertung und – mit einer gewissen Prognosegenauigkeit – die Abschätzung der Eintrittswahrscheinlichkeit *zukünftiger* Schäden.

Bei der Erstellung einer solchen Statistik faßt man technische Risiken, die dasselbe Schadenpotential haben, zu einer Gruppe zusammen. Das Schadenpotential eines Risikos wird durch diejenigen Faktoren bestimmt, die einen maßgeblichen Einfluß auf die Höhe und Häufigkeit der Schäden ausüben.

Die häufigsten *Risikofaktoren in der Technik* sind

– *menschliches Versagen*

  – Planungsfehler

  – Konstruktionsfehler

  – Fehler bei der Materialauswahl

  – Fertigungsfehler

  – Montagefehler

  – Bedienungsfehler

  – Wartungsfehler

– *technisches Versagen* hochbeanspruchter Komponenten, z.B.

  – druckführender Teile

  – schnelldrehender Teile.

Sofern die wichtigsten Risikofaktoren, von denen die Schadenanfälligkeit im wesentlichen abhängt, nicht gleich direkt erkennbar sind, müssen sie durch eine detaillierte statistische Analyse der Schadenursachen und ihrer Häufigkeitsverteilung erkennbar gemacht werden.

Für die Prognose des Schadeneintritts in einer solchen Gruppe von gleichartigen Risiken gilt ein einfaches Grenzgesetz der *Wahrscheinlichkeitsrechnung*:

Wertet man den beobachteten Schadenverlauf einer großen Zahl (n → ∞) bekannter Risiken aus, dann kann man aus der in der *Vergangenheit* gewonnenen Schadenerfahrung eines solchen *Kollektivs* auf die Wahrscheinlichkeit des Schadeneintritts für ein *Einzelrisiko* in der *Zukunft* schließen.

Dieses *"Gesetz der großen Zahlen"* (bewiesen von Jacob Bernoulli, Ars conjectandi, Kunst der Prognose, Opus posthumum, Basel 1713) prognostiziert den für die Zukunft zu erwartenden besten Schätzwert der wahrscheinlichen Schadenhöhe eines Einzelrisikos:

$$W = \frac{S}{n} \quad \text{für } n \to \infty$$

Die Gleichung erscheint in dieser mathematisch vereinfachten Form unmittelbar plausibel: Der Erwartungswert W der wahrscheinlichen zukünftigen Schadenhöhe eines Einzelrisikos nähert sich dem arithmetischen Mittelwert S/n (Durchschnittsschaden) der in der Vergangenheit beobachteten Gesamtschadenhöhe S einer Gruppe von n gleichartigen Risiken (unter der Voraussetzung gleicher Beobachtungszeiträume und gleichbleibender Risikofaktoren).

In dieser einfachen Form sagt die Gleichung jedoch noch nichts über die Bandbreite und die Wahrscheinlichkeitsverteilung der *Schwankungen*, d.h. der zufälligen Abweichungen vom arithmetischen Mittelwert, die im Einzelfall zu erwarten sind.

Die Schwankungen im jährlichen Schadenanfall einer Risikogruppe sind um so geringer,

–   je homogener die Risikogruppe ist, d.h. je ähnlicher das Gefahrenpotential und die Risikofaktoren sind

81

- je größer die Anzahl n der Risiken und die durchschnittliche jährliche Anzahl der Schäden ist

- je kleiner der höchstmögliche Einzelschaden in dieser Gruppe ist.

Von diesem Schwankungs-Charakter hängt ab, welche Aussagekraft eine Risikostatistik hat. Die zufällige Schwankung wird um so dominierender, je kleiner die Anzahl n der beobachteten Risiken ist. Das Gesetz verliert dann seine Geltung: mit kleiner werdendem n nähert man sich der Zufälligkeit des Würfelns. Die Methode der Risikostatistik ermöglicht dann keine verläßliche Prognose- und Bewertungsmöglichkeit mehr.

Umfangreiche, langjährige Risikostatistiken und das Gesetz der großen Zahlen stellen zusammen mit der Berücksichtigung der Schwankungen die mathematische Geschäftsgrundlage der Versicherung dar (13). Diese sucht und organisiert den gewünschten Schwankungsausgleich in einem möglichst großen Kollektiv.

Die schadenstatistische Bewertung technischer Risiken findet dabei aber durch die dynamische technische Weiterentwicklung, durch die kürzer werdenden Innovationszyklen und damit durch die geringer werdende Anzahl gleichartiger Risiken sowie die Verkürzung der möglichen Beobachtungszeiträume ihre Begrenzung. Dies gilt besonders im Bereich neuer Technologien.

11   Wissenschaftlich-analytische Risikobewertung

Die Bewertung eines technischen Risikos setzt die Kenntnis möglicher Stör- und Unfallabläufe, ihrer Eintrittswahrscheinlichkeit (Ereignishäufigkeit) und ihrer Auswirkungen voraus. Liegt dabei keine ausreichende rückblickende Erfahrung über Schadensfälle vor, so muß die Risikobewertung so weit wie möglich durch wissenschaftlich-analytische Verfahren erfolgen.

Letzteres gilt vor allem für vernetzte hochtechnologische Systemtechniken, für *seltene Ereignisse* sowie für *Prototypen*, z.B. in der Raumfahrt, Kerntechnik, Robotik, Elektronik, ... In solchen Fällen bewertet man die Risiken im Rahmen einer systematischen *Zuverlässigkeitsanalyse*.

Zur Durchführung solcher Zuverlässigkeitsanalysen sind eine Reihe von Methoden entwickelt worden Sie kommen entweder einzeln oder kombiniert zur Anwendung (7).

Man kann sie in zwei Kategorien einteilen:

-   induktive Analysen und

-   deduktive Analysen.

Die *Induktion* ist der Schluß von Einzelnen auf das Allgemeine: Bei den induktiven Methoden wird ein Einzelereignis postuliert (z.B. vorausgesetztes Versagen einer Komponente). Dann wird nach den Konsequenzen für den Systemzustand gefragt.

Die induktive Fragestellung lautet also:

Was sind die Folgen für das System, wenn das vorausgesetzte Versagens-Ereignis eintritt?

Zu den induktiven Analysemethoden gehören die Ausfalleffektanalyse, die Ereignisbaumanalyse bzw. die Störfallablaufanalyse.

Den Ausgangspunkt einer induktiven *Ereignisbaumanalyse* bildet ein *auslösendes Ereignis*.

In einem komplexen technischen System ist eine Vielzahl von Störungsmöglichkeiten gegeben, die als störfallauslösende Ereignisse wirken können. Abhängig vom Erfolg oder Versagen der Gegenmaßnahmen ergeben sich Ereignisabläufe mit unterschiedlichen Auswirkungen. Insbesondere bei Systemen mit großem Gefährdungspotential kann es zu schwerwiegenden Konsequenzen kommen, wenn Gegenmaßnahmen teilweise oder vollständig versagen. Derartige Risikoanalysen versuchen deshalb, die auslösenden Ereignisse vollständig zu identifizieren, um anschließend die möglichen Ereignisabläufe zu analysieren.

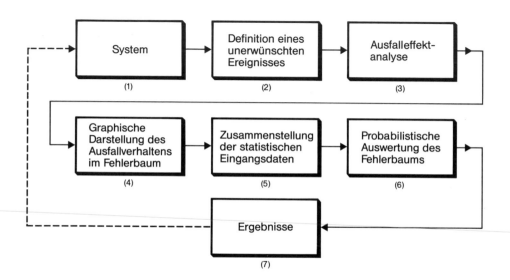

Schematischer Ablauf einer Risikoanalyse.

Die *Deduktion* ist die umgekehrte Schlußweise:

Vom Allgemeinen wird auf das Einzelne geschlossen.

Die entsprechende Fragestellung lautet:

> Welche Ursachen (Einzelereignisse) können zu einer postulierten Störung führen?

Das heißt, nach Festlegung eines gestörten Systemzustandes werden alle Ereignis-Kombinationen gesucht, die diese definierte Störung hervorrufen können.

Die bekannteste deduktive Analysenmethode ist die *Fehlerbaumanalyse*. Sie ist am weitesten entwickelt und hat in der Praxis eine breite Anwendung gefunden.

Den Ausgangspunkt einer deduktiven *Fehlerbaumanalyse* bildet ein definierter *gestörter Zustand*. Seine Ursachen werden schrittweise durch fortgesetzte Detaillierung der deduktiven Fragestellung aufgeschlüsselt. Aufgrund der Information über das Systemausfallverhalten und über die möglichen Ausfallarten der einzelnen Systemelemente werden alle Ereignisketten, die zu dieser Störung führen, spezifiziert und in einem Diagramm, dem sogenannten *Fehlerbaum*, grafisch übersichtlich dargestellt.

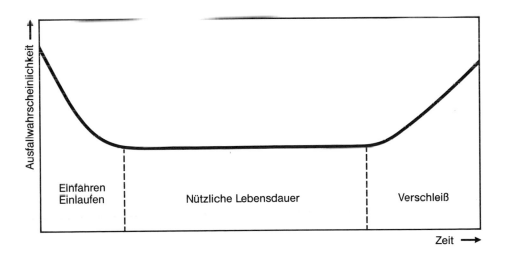

Ausfallwahrscheinlichkeit in Abhängigkeit von der Einsatzdauer technischer Komponenten/ Einrichtungen/Anlagen (schematisch).

Zusammenfassend gilt, daß induktive Methoden immer dann angewendet werden, wenn *alle möglichen Auswirkungen* eines eingetretenen Ereignisses gesucht werden. Die deduktiven Methoden hingegen eignen sich zur *Aufklärung der Ursachen*.

	$m_{ij}(t)$	$\overline{A}_{ij}(t)$
nicht reparierbar	$\lambda_{ij} \cdot e^{-\lambda_{ij} t}$	$1 - e^{-\lambda_{ij} t}$
reparierbar (selbstmeldend)	$m_{ij}(t) = \dfrac{\lambda_{ij}\,\mu_{ij}}{\lambda_{ij} + \mu_{ij}} \left\{ 1 + \dfrac{\lambda_{ij}}{\mu_{ij}}\, e^{-(\lambda_{ij} + \mu_{ij})\,t} \right\}$	$\overline{A}_{ij}(t) = \dfrac{\lambda_{ij}}{\lambda_{ij} + \mu_{ij}} \left\{ 1 - e^{-(\lambda_{ij} + \mu_{ij})\,t} \right\}$
inspizierbar	$m_{ij}(t) = \lambda_{ij}\, e^{-(t - n\,Tw_{ij})\,\lambda_{ij}}$	$\overline{A}_{ij}(t) = 1 - e^{-(t - n\,Tw_{ij})\,\lambda_{ij}}$
	für $n\,Tw_{ij} \leqq t < (n + 1)\,Tw_{ij}$	
λ_{ij}: Ausfallrate; μ_{ij}: Reparaturrate; Tw_{ij}: Inspektionsintervall		

Zuverlässigkeitsanalyse: Beispiel für die Berechnung der Ausfallhäufigkeitsdichtefunktion $m_{ij}(t)$ und der Unverfügbarkeit $A_{ij}(t)$ eines Elementes $(_{ij})$ in einem vernetzten technischen System bei verschiedenen Instandsetzungsmodellen. Quelle: Camarinopoulos, Becker

Durch *Simulationsverfahren* können zusätzliche zuverlässigkeitsanalytische Fragestellungen systemgetreu modelliert werden, z.B.

−   beschränkte Wartungs- und Reparaturkapazitäten

- Abhängigkeiten zwischen dem Ausfall- und Reparaturverhalten von Systemkomponenten

- beliebige Ausfall- und Reparaturverteilungsfunktionen der Systemkomponenten

- komplizierte Wartungs- und Reparaturstrategien.

Die Ermittlung der Zuverlässigkeitsmerkmale eines Systems mit Hilfe simulativer Verfahren durchläuft dabei prinzipiell folgende drei Schritte:

- Erstellung eines formalen Modells, das das Ausfallverhalten des zu untersuchenden Systems geeignet beschreibt.

- Umsetzung dieses Modells in einem Rechenprogramm zur Simulation von Systemausfallabläufen.

- Statistische Verdichtung der gewonnenen Ergebnisse zur Bewertung der gewünschten Zuverlässigkeitsmerkmale.

Zusammengenommen ermöglichen alle genannten Analyseverfahren eine wahrscheinlichkeitstheoretische quantitative Abschätzung der Zuverlässigkeit technischer Systeme und des verbleibenden *Restrisikos*.

12   Akzeptanz technischer Risiken

Die öffentliche Akzeptanz von Risiken hängt weniger davon ab, wie hoch ein Risiko *objektiv* ist, sondern davon, wie hoch es *subjektiv* empfunden wird.

Bei der Risikoakzeptanz besteht daher vielfach eine erhebliche Diskrepanz zwischen dem Urteil von Experten und der allgemeinen Einschätzung (2).

Menschliches Verhalten wird in der Regel weniger durch Fakten, sondern vielfach durch Erwartungen, Hoffnungen, Ängste, Glauben, Wunschvorstellungen, Aversionen und ähnliches beeinflußt.

Zu den subjektiven Ansichten unserer Zeit gehört die Meinung, das moderne Leben sei risikobehafteter als das der guten alten Zeit. Dem Statistiker ist es ein Leichtes, diese Fehleinschätzung zu widerlegen. Die technologische Weiterentwicklung und Industrialisierung beeinflußt die durchschnittliche Lebenserwartung in unserer Gesellschaft *nicht* negativ: Die Lebenserwartung ist in den Industrieländern nachweisbar am größten und sie wächst immer noch (12).

Menschen, denen es gut geht, bevorzugen eher schlechte Nachrichten. Dies führt dazu, daß die Risiken der Technik von der Öffentlichkeit vielfach überbewertet, auch unterbewertet, selten richtig, niemals einheitlich beurteilt werden.

– Dabei liegen die *objektive Größe* bzw. Bewertung von Risiken und die

– *subjektiven Empfindungen* dieser Risiken

auf verschiedenen Ebenen.

Den fundamentalen Zusammenhang zwischen der objektiven Größe eines Reizes (z.B. eines bedrohenden Risikos) und der subjektiven Empfindung dieses Reizes beschreibt das *"psychophysische Grundgesetz"* von Weber-Fechner (1834, 1860).

Danach wächst die Änderung der Empfindungsstärke $\triangle E$ nicht proportional mit der *absoluten* Änderung der Reizstärke $\triangle R$. Sie ist vielmehr *proportional* zur *relativen* Änderung der Reizstärke $\dfrac{\triangle R}{R}$:

$$\triangle E \sim \frac{\triangle R}{R}$$

Je intensiver ein Reiz R ist, desto stärker muß sein Zuwachs $\triangle R$ sein, um eine Unterschiedswahrnehmung $\triangle E$ zu bewirken.

Nach diesem Naturgesetz funktionieren die für unser Überleben wichtigsten Sinnes- und Empfindungsorgane (Auge, Ohr, Geruchssinn, psychische Reize, empfundene Belastung ...). Sie sind nicht linear, sondern logarithmisch geeicht.

Lebt man im Durchschnitt auf einem vergleichsweise hohen Alltags-Risikoniveau (R groß) – etwa Menschen unter den schwierigen Überlebensbedingungen in Entwicklungsländern ohne soziale Absicherung durch die Gesellschaft – so wird eine zusätzliche Risikobelastung $\triangle R$ nur noch mit geringer Sensitivität $\triangle E$ wahrgenommen. Die Belastbarkeit durch zusätzliche Risiken ist vergleichsweise groß, das Risikobewußtsein wird zunehmend *indolent*, es führt im Grenzfall zum *Fatalismus*.

Lebt man indes auf einem vergleichsweise niedrigen Alltags-Risikoniveau (R klein) – etwa Menschen unter den gesicherten Überlebensbedingungen in Industrieländern mit einem engmaschigen sozialen Netz – so wird eine zusätzliche Risikobelastung $\triangle$ R mit starker Sensitivität $\triangle$ E wahrgenommen. Die Belastbarkeit durch zusätzliche Risiken wird dadurch gering, das Risikobewußtsein wird *zunehmend sensitiv*. Den Grenzfall dieser zunehmenden Sensitivität bildet die Überempfindlichkeit der *Prinzessin auf der Erbse*.

Die große *Versicherungsbereitschaft* in den reichen Industrieländern beweist augenfällig die endemische Gültigkeit dieses Grundgesetzes bei der subjektiven Empfindung von Risiken.

Ein prägnantes Beispiel hierfür ist auch die in der Bundesrepublik teilweise stark ausgeprägte Sensitivität und Angstbereitschaft gegenüber der *Kernenergie*: vor dem Hintergrund einer hohen Versorgungssicherheit und eines niedrigen Alltags-Risikoniveaus R wird das sehr geringe Restrisiko $\triangle$ R der deutschen Kernkraftwerke subjektiv als bedrohlich groß empfunden. Dieses komplexe, vieldiskutierte und politisierte Thema (Kap. 1, Kap. 3.2.) erweist sich damit vor allem als ein Wohlstands- und ein Empfindungssyndrom. Als solches scheint es zunächst mit den rationalen Mitteln der Physik, der Technik, der Zuverlässigkeits- und Risikoanalyse in der öffentlichen Akzeptanzdiskussion nur schwer zugänglich und auflösbar zu sein.

In der Öffentlichkeit werden die Realitäten im sensiblen Risikobereich unter Mitwirkung der Medien häufig als unverstandene Informationsreste aus einer vielfach undurchschaubaren technischen Welt verzerrt wahrgenommen.

Nachrichten über Risiken und Schäden werden zwar rasch und überall hin verbreitet, sie sind für den einzelnen aber meist schwer bewertbar. Statt zu der wünschenswerten objektiven Bewertung kommt man so über die subjektive Empfindung vielfach eher zu einer irrationalen Wahrnehmung von Risiken.

Dabei besteht kein Mangel an Information, aber ein Mangel an Orientierung.

Wir brauchen deshalb eine anerkannte objektive Risikoskala – vergleichbar mit der allseits bekannten Richter-Skala für Erdbeben (2): Diese Meßskala zeigt uns, wie groß das Gefährdungspotential des Risikos, über das geredet wird, überhaupt ist.

Fast immer werden Berichte über Erdbeben von dieser Skala begleitet. Die Öffentlichkeit weiß, daß die Nachricht über ein Beben unvollständig ist wenn nicht seine Stärke auf der Richterskala mitgeliefert wird.

Hier liegt eine wichtige Aufgabe für die wissenschaftliche Risikoforschung und für den seriösen Journalismus.

Unsere Industriegesellschaft sollte deshalb – das ist mein Votum – von den Medien keine Nachrichten über Risiken und Schäden ohne Bezugsmaßstab mehr akzeptieren.

13   Restrisiko und technische Verantwortung

Der Weg der Wissenschaft und des technischen Fortschritts ist markiert und gesäumt von Irrtümern, Fehlern und Schäden. Man kann sie nicht abschaffen. In der Technik gibt es, wie wir wissen, keine absolute Sicherheit. Die *Risiken* sind und bleiben mit den *Chancen* der Technik stets untrennbar verbunden. Risiken sind ein Grundelement unseres Lebens und zugleich auch ein Motor der technischen Weiterentwicklung.

Diese Risiken jedoch zu begrenzen und möglichst dicht bei Null zu halten, ist eine anspruchsvolle, hochqualifizierte und hochwertige Aufgabe von großer wirtschaftlicher Bedeutung (3).

Die Risikoanalyse ist ein entscheidend wichtiges Werkzeug – besser gesagt Denkzeug – des Planers, des Entwicklers, des Konstrukteurs, des Herstellers, des Projektleiters und des Betriebsleiters.

Betriebliche Sicherheit ist in erster Linie eine *Planungsaufgabe*. Die Kenntnis, Beurteilung und Absicherung der Risiken eines technischen Betriebes ist jedoch in jeder Phase eine zentrale *Führungsaufgabe*.

Sicherheit hat in allen Bereichen seit jeher die erste Priorität: "*Safety first*" ist *ein aus leidvoller Schadenerfahrung* gewonnener Verhaltensgrundsatz.

Das Wort "*Risikoanalyse*" enthält zwei Begriffe aus unterschiedlichen Kategorien: Der Begriff *Analyse* richtet sich an den *Verstand;* der Begriff *Risiko* hingegen appelliert an die *Vernunft*.

Verstand schafft Wissen, Vernunft setzt Normen.

Wissen ist in unserem Fall die wissenschaftliche Kenntnis der Naturgesetze und ihre Umsetzung in Technik mit maximalem Wirkungsgrad, höchster Kosteneffizienz und akzeptabler Umweltverträglichkeit.

Vernunft hingegen muß nicht effizient sein, sie will effektiv sein. Der Verstand will die Dinge richtig tun; die Vernunft will die richtigen Dinge tun.

Somit setzt auch die Vernunft die Normen für die *Verantwortbarkeit* der Risiken, die mit unserem technischen Tun stets untrennbar verbunden sind.

Insbesondere fragt die Vernunft nach der vertretbaren Begrenzung des *Restrisikos* – an der sensiblen Grenze, wo *Können, Sollen* und *Dürfen* in ein problematisches Verhältnis zueinander treten. So gesehen, ist die "Risikobewertung in der Technik" ein zentraler Bestandteil unserer *Verantwortung* in der Technik.

Die Bewertung technischer Risiken verlangt daher vor allem zwei Dinge: einmal die Bereitschaft, das technische Verantwortungsbewußtsein zu sensibilisieren; zum anderen das unablässige Bemühen zu aktivieren, aus Fehlern und Schäden ständig zu lernen.

Denn: wer einen Fehler macht und nicht aus ihm lernt, begeht damit schon den nächsten.

14 Literatur

(1) Braun, H.: Risiken der Technik – ihre Bewertung und Bewältigung.
In: Der Maschinenschaden, Fachzeitschrift für Risikotechnologie, 60.
Jahrgang (1987), Heft 4, S. 145-148, Allianz Versicherungs-AG, München

(2) Heilmann, K.: Technologischer Fortschritt und Risiko. Knaur Sachbuch,
München 1985, ISBN 3-426-03770-X

(3) Franck, E: Risikoanalyse von der Planung bis zum Betrieb.
In: Der Maschinenschaden, Fachzeitschrift für Risikotechnologie, 61.
Jahrgang (1988), Heft 3, S. 97-102, Allianz Versicherungs-AG, München

(4) Rückert, A.: Praktisches Riskmanagement am Beispiel der Maschinen-
Betriebsunterbrechungs-Versicherung.
In: Der Maschinenschaden, Fachzeitschrift für Risikotechnologie, 60.
Jahrgang (1987), Heft 4, S. 159-162, Allianz Versicherungs-AG, München

(5) Martin, K.: Allianz Risiko Service in der Praxis.
In: Der Maschinenschaden, Fachzeitschrift für Risikotechnologie, 60
Jahrgang (1987), Heft 6, S. 248-253, Allianz Versicherungs-AG, München

(6) Allianz-Handbuch der Schadenverhütung, 3., neubearbeitete und erwei-
terte Auflage, VDI-Verlag, Düsseldorf 1984

(7) Camarinopoulos, L.; Becker, A: Zuverlässigkeits- und Risikoanalysen,
KTG-Seminar, Band 2, TÜV Rheinland, Köln 1983, ISBN 3-88585-129-6

(8) Abinger, R.; Hammer, F.; Leopold, J.: Großschaden an einem 330 MW-
Dampfturbosatz.
In: Der Maschinenschaden, Fachzeitschrift für Risikotechnologie, 61.
Jahrgang (1988), Heft 2, S. 58-60, Allianz Versicherungs-AG, München

(9) Deutscher Bundestag: Bericht der Bundesregierung über den Reaktorunfall in Tschernobyl und seine Konsequenzen für die Bundesrepublik
Deutschland. Drucksache 10/6442, Sachgebiet 751, Bonn 12.11.86

(10) Franck, E.: Großbrand in einem Sonnenkraftwerk.
      In: Schadenspiegel, 30. Jahrgang, 1987, Heft 2, S. 15-20, Münchener
      Rückversicherungs-Gesellschaft, München

(11) Bundesgesundheitsamt, Institut für Strahlenhygiene: Bericht zur Strahlen-
      exposition im April 1988, Berlin 1988

(12) Statistisches Bundesamt: Sterbefälle nach Todesursachen, Jahrgang 70-85,
      Bonn 1986

(13) Risikostatistik in der Sachversicherung, Münchener Rückversicherungs-
      Gesellschaft, München 1984

Gefahrenabwehr und Risikominderung als Aufgaben der Technik

von

GERHARD HOSEMANN

1.   Der Nutzen der Technik

Es ist ernsthaft nicht zu bezweifeln, daß die Technik das Leben der Menschen verlängert hat: Nach Angaben des statistischen Bundesamtes stieg in den letzten hundertzehn Jahren die Lebenserwartung der Frauen in Deutschland von 38 auf 77, die der Männer von 36 auf 70 Jahre und rückte damit bereits nahe an den biologischen Grenzwert. Ähnliche Entwicklungen sind in allen Ländern der Welt zu beobachten, wo im Gefolge neuzeitlicher Technik auch die Fortschritte der Landwirtschaft, der Hygiene und Medizin genutzt werden. Die Übervölkerung der Erde wird durch die höhere Lebenserwartung hervorgerufen.

Noch erstaunlicher als das numerische Wachstum der Lebensquantität ist jedoch die Steigerung der Lebensqualität. Die Technik beendete mit der Erfindung der Wind- und Wasserräder und schließlich der Motoren die Ausbeutung menschlicher und tierischer Muskelkraft. Elektromotoren verrichten mechanische Arbeit an jedem Ort heute so preiswert, daß Tretmühlen und Flaschenzüge, Dreschflegel und Schwengelpumpen nicht mehr durch Tagelöhner, Sträflinge oder Sklaven betrieben werden müssen. Diese könnten bei angestrengter Arbeit allenfalls etwa 80 W während 8 Stunden leisten, also täglich 0,64 Kilowattstunden, was der Elektromotor heute für weniger als 20 Pf Stromkosten übernimmt. Es besteht wohl Einigkeit, daß der Verlust solcher Arbeitsplätze einen sozialen Gewinn bedeutet: Diese Technik ist akzeptiert, jeder beansprucht sie für sich wie eine Selbstverständlichkeit.

Doch wo Licht ist, fällt auch Schatten. Den polyvalenten Charakter der Technik sah schon der Kirchenvater Augustinus vor fünfzehnhundert Jahren in der Entfaltung des menschlichen Geistes und der Vernunft. Er schrieb hierzu in seinem Werk "De civitate Dei" [7, S.44]:

> "Sind nicht durch den Menschengeist so viele und großartige Kün-
> ste erfunden und bestätigt worden, teils unentbehrliche, teils dem
> Vergnügen dienende, daß die überragende Kraft des Geistes und

der Vernunft selbst auch in ihren überflüssigen und sogar gefährlichen und verderblichen Strebungen dafür zeugt, welch herrliches Gut sie eigentlich ist, das es ihr ermöglicht, derlei Dinge zu erfinden, sich anzueignen und zu betätigen."

Im Gegensatz dazu sah die vorchristliche Ethik die technische Nutzung des Feuers als Frevel an, wofür Prometheus in Fesseln qualvoll büßen mußte. Auch der erste technische Unfall wird in der griechischen Mythologie beschrieben. Ikarus stürzte in einer selbsterbauten Flugmaschine über der Insel Ikaria ab, als er sich zu sehr der Sonne näherte; der väterliche Flugzeugbauer Dädalus hatte sich bei der Konstruktion vertan. Prüffeldversuche, die heute das im Zuge einer Entwicklung Vergessene offenlegen sollen, gab es nicht.

Den privaten Nutzen der Technik erkennt man leicht am Beispiel neu elektrifizierter Siedlungen in Entwicklungsländern: Ihre Bewohner nutzen zuerst die Beleuchtung, dann das Radio, später den Kühlschrank und schließlich die Wasserpumpe. Bei Netzausfällen geht der Lebensstil problemlos auf die überkommene Stufe zurück. Den Bewohnern eines Industrielandes wäre dies trotz lebhafter Schwärmerei für einfaches Leben kaum zuzumuten; da sie das Leben ohne Elektrizität nicht mehr kennen, nehmen sie längere Versorgungsunterbrechungen etwa mit Ausfall der Heizungs-Ölbrenner, Kühlschränke und der Beleuchtung nicht hin und sind auch kaum bereit, auf eine Unterhaltung durch Fernsehen und Radio zu verzichten.

2.   Das Risiko in der Technik

Die Verwendung technischer Einrichtungen dient dem Wohlstand aller, bringt aber auch Schaden, was zum Beispiel die Unfallstatistik mit über 8000 Toten bei etwa 50 Millionen Teilnehmern am westdeutschen Straßenverkehr Jahr für Jahr nachweist. Der Quotient Opfer: Teilnehmer = 8000/a : 50000000 = 160 : 1 Million je Jahr wird beim Bergbau sogar noch um den Faktor 4 übertroffen. Würde man allein diesen ungeheuren Schaden betrachten, wäre man gezwungen, alle Kraftfahrzeuge als Massenvernichtungsmittel zu verbieten und den Bergbau als zu gefährlich zu untersagen. Dies wäre jedoch weder objektiv noch subjektiv gerechtfertigt, da im Zuge einer sorgfältigen Technikbewertung neben dem Ausmaß nicht auszuschließenden Schadens zusätzlich berücksichtigt werden müssen:

–   Die Häufigkeit, mit der ein zum Schaden führendes Ereignis eintritt;

–   der Nutzen, den die betrachtende Technik dem Einzelnen wie der Gesellschaft bietet;

–   der Nutzen und Schaden, der bei anderen technischen Varianten oder bei Verzicht auf die betrachtende Technik eintritt.

Umfang und erwartete Häufigkeit eines nicht auszuschließenden Schadens werden durch den Begriff des Risikos zusammengefaßt, der damit in das Zentrum aller sicherheitstechnischen Überlegungen rückt [5]. Im einfachsten Fall ist Risiko das Produkt aus beiden Größen, die grundsätzlich als gleichrangig anzusehen sind. Folglich gehören zum Schutz alle Maßnahmen, die das Risiko herabsetzen, indem sie entweder die Eintrittshäufigkeit etwa eines Brandes durch Blitzableiter und regelmäßige Schlotreinigung mindern, oder aber das Schadensausmaß durch Brandmauern und den Dienst der Feuerwehren begrenzen. Andere Schutzvorkehrungen wiederum wirken kombiniert, zum Beispiel Baustoffimprägnierungen.

Umgangssprachlich bedeutet Risiko ganz allgemein ein Wagnis. Das Wort entstammt dem Italienischen, das es dem altgriechischen Begriff ῥίζα entlehnte, was "Wurzel" im gegenständlichen wie im übertragenen Sinn bedeuten kann. Mit dem arabischen "risq" für Lebensunterhalt, Geschenk, göttliche Wohltat, Einkommen ist keine Verbindung zu erkennen. Das Oxford-Dictionary definiert: "Safety – Freedom of danger", der ISO/IEC Guide 2: "Safety – Freedom from unacceptable risk of harm".

Diese objektiv selbstverständliche Gleichrangigkeit der beiden Risikofaktoren Eintrittshäufigkeit und Schadensausmaß liegt dem Wesen aller Schadenversicherungen zugrunde. Dies erfährt auch der Laie am Beispiel der Kraftfahrzeug-Unfallversicherung: Die von sicheren Fahrern erreichte geringere Eintrittshäufigkeit eines Unfalls drückt sich im Schadensfreiheitsrabatt ihrer Prämien aus, das versicherte Schadensausmaß in der Selbstbeteiligung.

Das Argument, daß auch ein extrem seltenes Schadensereignis dennoch jederzeit eintreten könnte, darf nicht zum Gebot führen, überall und beständig Schutzhelme tragen zu müssen, weil jederzeit ein Meteorit auf die Erde herabstürzen könnte. Wohl aber sollte der alpine Kletterer sich eines solchen Schutzhelmes bedienen. Der Begriff des "Gefahrenpotentials" allein ist ohne Sinn. Was wäre das Gefahrenpotential einer Schachtel Streichhölzer?

Allerdings wird der mathematische Risikobegriff von der stärker gefühls-
betonten Öffentlichkeit anscheinend nicht verstanden. Spektakuläre Großereignisse werden weit aufmerksamer verfolgt [4,8] als etwa der tägliche Tod auf der
Straße. Dies braucht nicht ausschließlich an der Sensationslust der Presse zu liegen, es sind auch Gründe denkbar, die sich aus der Evolution des Menschen
deuten lassen: Ein total mißlungener steinzeitlicher Beutezug kann das Ende einer ganzen Sippe bedeuten, eine gleichgroße Zahl einzelner Jagdunfälle allenfalls eine vorübergehende Minderung der Kopfzahl.

Allgemein läßt sich feststellen: Mit steigendem Wohlstand eines Landes
wachsen die von der Volkswirtschaft erarbeiteten Aufwendungen für Schutz-
maßnahmen. Als Folge davon sinken die lebensbedrohenden Risiken für die Bevölkerung. Desto stärker werden aber auch die verbleibenden Risiken empfunden, was wiederum den Umsatz der Versicherungsgesellschaften belebt. Es liegt
nahe, das Weber-Fechnersche Gesetz der Physiologie auch auf die Psychologie
zu übertragen: Reize werden umso stärker empfunden, je entspannter der Zustand zuvor war.

Der mit Sicherheitsaufgaben befaßte Ingenieur ist bemüht, sich von solchen
subjektiven Bewertungen möglichst freizuhalten. Er wendet bei seiner täglichen
Arbeit Sicherheitsnormen zur Gefahrenabwehr und Risikominimierung an, die
darauf angelegt sind, das Risiko in technisch und wirtschaftlich vergleichbaren
Situationen ähnlich gering zu halten. Das bedeutet mit anderen Worten, daß zur
Abwendung beispielsweise eines tödlichen Unfalls ein ähnlich großer wirtschaftlicher Aufwand in jeder Sparte der Technik getrieben werden sollte. Er entspricht dem Lagrangeschen Multiplikator der mathematischen Optimierungs-
rechnung.

Dieses Vorgehen bietet folgende Vorteile:

−   Die von der Volkswirtschaft zur Verfügung gestellten nicht unbeschränkten
    Mittel werden optimal genutzt;

−   Güterabwägungen, etwa über den Gegenwert eines Menschenlebens, erhal-
    ten eine sozialempirische Grundlage;

−   subjektive Empfindungen wie die des Autofahrers, der seinen Sicherheits-
    gurt nur widerstrebend anlegt, werden zurückgedrängt;

−   eine einheitliche Betrachtung auch umfassender Systeme gelingt;

−   Präferenzen und Prioritäten lassen sich methodisch erkennen.

Außerdem verlangt die Lehre der Sicherheitswissenschaft Redundanz und Diversifikation, das heißt: quantitative und qualitative Vielfalt der durchzuführenden Maßnahmen, um den Folgen von Fehlfunktionen und Irrtümern zu begegnen.

Es ist allerdings nicht zu verkennen, daß sich in den verschiedenen Sparten der Technik fachspezifische Unterschiede ausgebildet haben. Es gibt einige Anwendungsbereiche, wo überdurchschnittlich hohe wirtschaftliche Mittel etwa für jeden verhinderten Unfall eingesetzt werden, und andere, wo dies nicht üblich ist. Im Grundsatz bedeuten solche Unterschiede stets eine Vergeudung, da bei gleichmäßiger Verteilung des unveränderten Gesamtaufwandes eine größere Schutzwirkung zu erzielen wäre. Dabei gilt das sogenannte Opportunitätsprinzip der Volkswirtschaft, wonach die monetären Mittel in der jeweils besten Verwendung eingesetzt werden müssen. So gibt es zum Beispiel Schadensbereiche, wo die Unfallforschung das menschliche Unvermögen als dominierende Schadensursache nachweist: Dort können Belehrungen und Unterweisungen bei gleichem Gesamtaufwand mehr bewirken als die Installation zusätzlicher Schutzeinrichtungen.

Nicht mit diesem Ansatz zu lösen sind jene Fälle, in denen unterschiedliche Rechtsgüter gegeneinander abgewogen werden müssen, wie etwa bei einer Flußregulierung, die dem Naturschutzgedanken widerspricht. Hier kommt der Ingenieur nicht ohne Vorgaben der öffentlichen Hand aus.

Das hier skizzierte volkswirtschaftliche Optimum, das in sinngemäß abgewandelter Form auch auf die Akzeptanz und auf politische Rücksichten eingehen kann, darf nicht mit dem betriebswirtschaftlichen Optimum der Risikoabdeckung nach Bild 1 verwechselt werden. So investieren zum Beispiel die Energieversorgungsunternehmen sehr viel mehr für die zuverlässige fast unterbrechungsfreie Elektrizitätsversorgung als betriebswirtschaftlich zu vertreten ist. Dies darf aber nicht als "gewaltige Überkapazität" mißdeutet werden und hat mit "Profitgier" erst recht nichts zu tun: Die höchste Rendite läßt sich nachweislich mit Versorgungssystemen geringer Zuverlässigkeit erwirtschaften.

Das volkswirtschaftlich begründete Prinzip ähnlich geringen Risikos in technisch und wirtschaftlich vergleichbaren Situationen läßt sich auch im nichttechnischen Bereich nutzen. Dabei werden zugleich seine inneren Unzulänglichkeiten deutlich. Im Bild 2 ist der durchschnittliche Verlust oder Gewinn an Lebenserwartung aufgetragen [10], der bei unterschiedlichen Lebenslagen und -ge-

Fachgebiet	Betriebswirtschaft	Volkswirtschaft, Politik
Aufgabe	Risikoabdeckung	Gefahrenabwehr, Risikominderung
Art des Schadens	finanziell	kausale Verletzung von Rechtsgütern
Bewertung	monetär	unterschiedlich
Optimierungsprinzip	minimale Summe aller Aufwendungen	ähnliche Risiken in vergleichbaren Situationen
dessen Grenzen	nichtmonetäre Schäden	Güterabwägungen, Usancen, Aversionen
Schadensbetroffene	natürliche und juristische Personen, meist sachkundig	Laien, meist sachunkundig
deren Partner	private oder gesetzliche Versicherer	behördlich kontrollierte private Normensetzer, öffentliche Hand
Dokument	Police	Technische Regeln, Technische Anweisungen, Sicherheitsnormen, Unfall-Verhütungsvorschriften

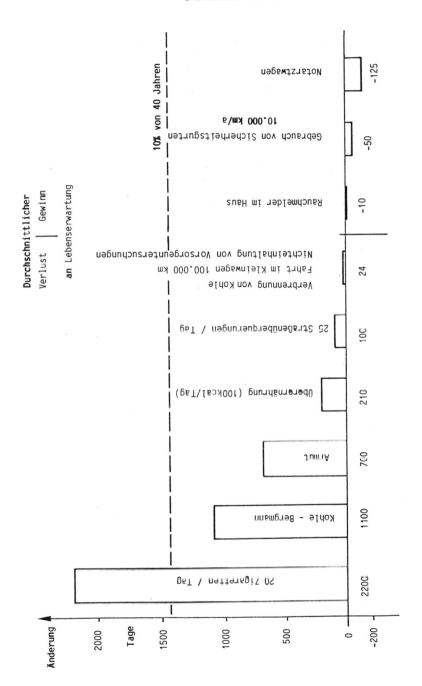

Bild 2 Beispiele für Risiken während 40 Lebensjahren [10]

wohnheiten im Verlauf von 40 Lebensjahren eintritt. Entfallender Verlust oder hinzukommender Gewinn an Lebenserwartung ist hier gleichbedeutend mit Risikominderung. Für einige Balken im Bild 2 läßt sich auch der wirtschaftliche Aufwand angeben:

Beim Verzicht auf tägliches Rauchen von 20 Zigaretten zu je 0,2 DM wird in 40 Jahren der Geldbetrag 40 · 360 · 20 · 0,2 DM = 57600 DM gespart. Er ist als negativer Aufwand zu betrachten. Die prozentuale Lebenserwartung steigt dabei um 2200 Tage/14400 Tage = 15,3 %. Der Aufwand für 1 % gesteigerte Lebenserwartung ist hier negativ und beträgt

$$\frac{- 57.600 \text{ DM}}{15,3 \%} \approx - 4.000 \text{ DM/\%}$$

Beim Kauf von 8 Notarztwagen für je 500.000 DM, einschließlich Personalkostenanteil, während jeweils 5 Jahren für das Krankenhaus einer Stadt von 10.000 Einwohnern, beträgt der Aufwand für jeden Bürger in 40 Jahren 8 · 500.000 DM/10.000 = 400 DM. Seine Lebenserwartung steigt dadurch prozentual um 125 Tage/(40.360) Tage = 0,87 %. Der Aufwand für 1 % gesteigerte Lebenserwartung ist hier positiv und beträgt gerundet

$$\frac{+ 320 \text{ DM}}{0,87 \%} \approx + 500 \text{ DM/\%}$$

Das Optimierungsprinzip sagt nun, daß zunächst jene Risiken bekämpft werden müssen, die mit negativem oder geringem Aufwand verbunden sind, der Kampf gegen Nikotinmißbrauch rangiert im betrachteten Fall vor dem einer erweiterten Notarztausstattung. Bei vorgegebenem Gesamtaufwand wird damit das Gesamtrisiko weitestmöglich gesenkt: Die Vorsorge ist optimiert.

Neben dem betrachteten Rechtsgut "langes Leben" besteht aber das Rechtsgut "freie Lebensgestaltung", das auch das Rauchen umfaßt, und das die vorstehende Überlegung nicht berücksichtigen konnte. Sobald Güterabwägungen in die Risikobetrachtungen eingehen, reicht der rechnende Verstand allein zu Entscheidungen nicht mehr aus, das System ist mathematisch unterbestimmt. Soll man etwa Raucherzimmer für Oberschüler als liberalen Fortschritt preisen oder als gesundheitsschädlich verdammen? Bedeutet die unterlassene Lawinenverbauung, die zur Risikominderung nichts beiträgt, bedeutet die belassene

Naturschönheit nun Fortschritt oder Rückschritt? Um solche unterschiedlichen Rechtsgüter gegeneinander abzuwägen, reichen Risikoüberlegungen allein nicht aus. Sie geben aber dem nach politischen Gesichtspunkten Entscheidenden nützliche Hinweise.

Das Bild 3 läßt erkennen, daß das Optimierungsprinzip ähnlich geringer Risiken in vergleichbaren Situationen noch zu wenig angewandt wird. Es ist dem sogenannten ALARA-Prinzip überlegen, das nur solche Risiken als vertretbar ansieht, die "as low as reasonably admissable" oder besser "as low as reasonably achievable" sind. Steht eine ganz neue technische Aufgabe an, erweist sich die Frage nach der Zuverlässigkeit mangels vergleichbarer Musterfälle als wenig ergiebig. Besser läßt sich die Erreichbarkeit durch einen technisch-wirtschaftlichen Optimierungsansatz prüfen. Bei den ALARA-Prinzipien fehlt jedoch die quantitative Aussage, die erst im Grundsatz ähnlich geringen Risikos in vergleichbaren Situationen zu finden ist.

Erst in den letzten Jahren ist es gelungen, sich in der gesamten Technik auf einheitliche Begriffe für Gefahr und Sicherheit zu einigen [1]: Gefahr ist demnach eine Sachlage, bei der das Risiko größer als das Grenzrisiko ist; die komplementäre Sicherheit schließt die Gefahr aus. Das Bild 4 soll diese Festlegung verdeutlichen. Das Grenzrisiko wird durch Sicherheitstechnische Festlegungen beschrieben. Im Gegensatz zur Versicherungswirtschaft ist der Schaden hier wie in Bild 1 umfassend als Nachteil durch kausale Verletzung von Rechtsgütern anzusehen.

Die wichtigste aber auch schwierigste Aufgabe der Sicherheitswissenschaft besteht folglich darin, die Grenzrisiken festzulegen, die bei technischen Vorgängen oder Zuständen noch vertretbar sind. Erschwerend kommt hinzu, daß sich technische Risiken im allgemeinen quantitativ nur ungenau erfassen lassen. Daß dies aber kein Hindernis zu sein braucht, lehrt im Umkehrschluß das Strahlenrisiko [6], das sich mit Hilfe neuzeitlicher Meßgeräte und -verfahren recht genau ermitteln läßt, ohne aber die durch die Reaktorkatastrophe in Tschernobyl ausgelösten privaten Ängste der Bevölkerung eindämmen zu können. Eine genaue Quantifizierbarkeit der Risiken ist zur individuellen Einschätzung von Technikfolgen offensichtlich nicht erforderlich, subjektive Aversionen und politische Opportunitäten können stärker sein als jedes Argument. Es leuchtet daher ein, daß im politischen Bereich quantitative Aussagen wenig gefragt sind und deshalb durch pauschale Behauptungen ersetzt werden.

Bereich	Dollar für jeden verhinderten Todesfall
Medizin	
Brustkrebsuntersuchung	80 000
Lungenkrebsuntersuchung	70 000
Blutdruckkontrolle	75 000
Nierendialyse	200 000
Notarztwagen	30 000
Straßenverkehr	
verbesserte Leitplanken	34 000
Rettungshubschrauber	65 000
3-Punkt-Sicherheitsgurte	250 000
Strahlenschutz	
verbesserte Röntgendiagnostik	3 600
Strahlenschutzmaßnahme	
nach ICRP-Empfehlungen	320 000
verbesserte J-131-Rückhaltung	100 000 000
verbesserte Abfallbehandlung	10 000 000
Endlagerung von HLW	
in geologischen Schichten	
gegenüber Tiefseeversenkung	18 000 000
sonstige Bereiche	
Nahrungsmittelhilfen	
für unterentwickelte Länder	5 300
SO_2-Rückhaltung in Kohlekraftwerken	500 000
Sicherheit im Steinkohlebergbau	22 000 000
Sicherheit im Luftverkehr	1 200 000

Bild 3   Beispiele für Kosten zur Lebenserhaltung [2]

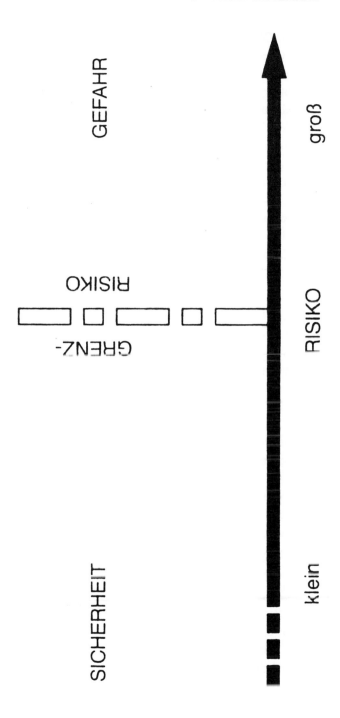

Bild 4 Sicherheit und Gefahr nach DIN VDE 31000 Teil 2

105

Ein Beispiel mag dies belegen: Die hessische Landesregierung setzte nach der Explosion in Tschernobyl den Grenzwert für Jod 131 in strahlenexponierter Milch auf 20 Becquerel je Liter fest, während Schweden, Finnland und Frankreich den von der Weltgesundheitsorganisation WHO bestimmten Wert 2000 Becquerel je Liter vertraten. Dabei muß man jedoch beachten, daß die vom Radongas stammende Aktivität in jedem Kubikmeter Atemluft eines üblichen Hauses etwa 50 Becquerel beträgt. Berechnet man die biologische Wirksamkeit dieser Aktivitäten, erhält man für die Atemluft eine effektive Äquivalentdosis von 2 Millirem oder 0,02 Millisievert in jeder Woche. Erst wenn eine Person wöchentlich 70 Liter Hessenmilch genösse, würde sie sich damit dem gleichen Risiko aussetzten wie durch das bloße Atmen in Innenräumen während derselben Zeitspanne. Der wissenschaftlich unhaltbare Grenzwert von 20 Becquerel pro Liter beweist den Unwert des ALARA-Prinzips und die Überlegenheit des Grundsatzes ähnlich geringer Risiken in vergleichbaren Situationen.

Den meisten technischen Disziplinen fehlen zuverlässige Meßmöglichkeiten für die zur Risikoermittlung benötigten Daten. Als Folge davon mißlingt es, das Grenzrisiko ausreichend genau zu bestimmen. Die sicherheitstechnischen Festlegungen der Technischen Regelwerke müssen sich dann darauf beschränken, charakteristische Maße und Verhaltensanweisungen anzugeben, deren Einhaltung im Rahmen des jeweiligen technischen Konzepts sicherstellen soll, daß das Risiko vertretbar klein bleibt. Da sich risikofreie Zustände selbst unter größtem wirtschaftlichem Einsatz weder in der Natur noch in der Technik erreichen lassen, müssen sich auch die sicherheitstechnischen Festlegungen nach dem Grundsatz richten, das abgeschätzte Risiko in technisch und wirtschaftlich vergleichbaren Situationen ähnlich klein zu halten. Gute Ideen wie etwa die Anschnallpflicht der Autofahrer, müssen sich bisweilen unerwartet mühsam gegen Aversionen durchsetzen, bevor sie akzeptiert und festgelegt werden können. Weniger gute Ideen, wie etwa die 1966 vorgeschriebene Schutzscheibe zwischen dem Fahrgast- und dem Lenkraum des Taxifahrers, werden von der Gunst der Stunde zunächst favorisiert und anschließend rasch wieder vergessen, sobald sich die durchaus vorhersehbaren Nachteile einstellen.

Einige Beispiele für objektive Risiken sind im Bild 5 zusammengestellt. Die Mortalität des Menschen sinkt von der Geburt bis zum 5...15. Lebensjahr und steigt anschließend monoton. Das Minimum der Mortalität liegt bei etwa drei jährlichen Todesfällen je 1000 Gleichaltriger, also bei $3 \cdot 10^{-3}$/a: Gäbe es weder Verschleiß noch Alterserscheinungen im Lebensablauf, dürfte der Mensch bei

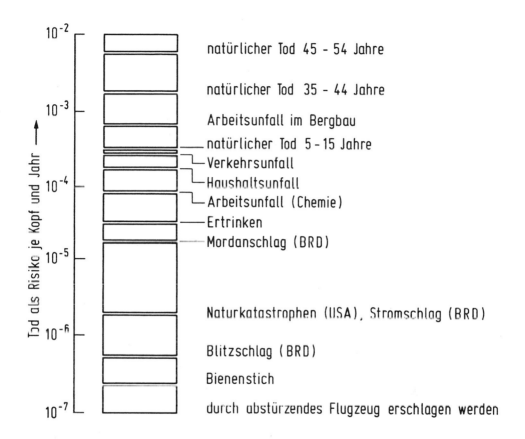

Bild 5 Beispiele für Grundrisiken [5, S. 84]

gleichbleibender Sterblichkeitsrate bis zu etwa 333 Lebensjahre erwarten, was man dem Kehrwert von $3 \cdot 10^{-3}/a$ entnimmt.

Indem man den Begriff des Grenzrisikos auch in jenen Fällen anwendet, wo geeignete Meß- und Berechnungsmöglichkeiten heute noch fehlen, errechnet man ein einheitliches sicherheitswissenschaftliches Konzept, das sich in der Zukunft durch verbesserte Meß- und Berechnungsmethoden weiter ausbauen läßt. Der Begriff des objektiven Risikos wird damit zur Brücke zwischen der Technik, den nichttechnischen Wissenschaften, der Rechtssprechung und der Politik.

3.   Regelwerke der Sicherheitstechnik

Die staatliche Rechtsordnung gibt die Schutzziele, wie zum Beispiel Schutz von Leben, Gesundheit, Sachgütern und Umwelt, in der Verfassung und in einzelnen Gesetzen und Rechtsverordnungen vor. Sie legt aber die Grenze des vertretbaren Risikos nicht unmittelbar fest. Hierzu bedient sie sich vielmehr der sicherheitstechnischen Regelwerke nach Bild 6, die in unterschiedlicher Weise in die Rechtsordnung [5] eingegliedert werden. Bei DIN-Normen, VDE-Bestimmungen und anderen Sicherheitsnormen, die in der "Allgemeinen Verwaltungsvorschrift zum Gerätesicherheitsgesetz" aufgeführt sind, gehen die zuständigen Behörden davon aus, daß sie allgemein anerkannte Regeln der Technik sind. Werden sie eingehalten, spricht der Beweis des ersten Anscheins dafür, daß der Anwender die erforderliche sicherheitstechnische Sorgfalt einhielt. Nach bislang vertretener Meinung hat jeder in der Technik Tätige die anerkannten Regeln der Technik im Grundsatz zu beherrschen.

Der Inhalt der Normen ist an den Erfordernissen der Allgemeinheit orientiert. Er soll den Regelfall abdecken, kann folglich Höchstansprüche nicht befriedigen und ist als maßgebende Sammlung fundierter Kenntnisse und praktischer Erfahrungen für das Gestalten und Verhalten in der Technik anzusehen. Die richtige Anwendung technischer Normen setzt ein ausreichendes Maß an technischem Verständnis voraus.

Die elektrotechnischen Sicherheitsnormen werden von der Deutschen Elektrotechnischen Kommission (DKE) im DIN und VDE herausgegeben und zugleich im VDE-Vorschriftenwerk aufgenommen. Jedermann kann beantragen, Normungsarbeiten einzuleiten. An der Ausarbeitung der elektrotechnischen Normen sind derzeit etwa 800 Gremien mit 5000 ehrenamtlichen Experten aus

Schutzziele **überwachungsbedürftiger** Anlagen werden durch »Technische Regeln« behördlich eingesetzter Ausschüsse konkretisiert.

Der Umwelt-Pflichtenkatalog **genehmigungsbedürftiger** Anlagen wird durch die als Rechtsverordnung erlassenen »Technischen Anleitungen« ausgefüllt.

Dem **Gerätesicherheitsgesetz** dienen als Schutzmaßstab die »allgemein anerkannten Regeln der Technik«.

Unfallverhütungsvorschriften werden von den Trägern der gesetzlichen Unfallversicherung herausgegeben.

Sicherheitsnormen des Deutschen Instituts für Normung DIN sind an den Erfordernissen der Allgemeinheit orientiert. Sie sollen zum rechten Handeln anweisen. Ihre Einhaltung vermittelt den Beweis des ersten Anscheins für Einhaltung der erforderlichen Sorgfalt.

Bild 6   Sicherheitstechnische Regelwerke

allen interessierten Kreisen der Elektrotechnik beteiligt. Die Entwürfe werden veröffentlicht, die eingehenden Einsprüche vor der Inkraftsetzung oder vor einem erneuten Entwurf beraten. Der Text ist eindeutig derart abzufassen, daß der sachkundige Anwender daraus das technisch einwandfreie Verhalten für den Regelfall erkennt.

Ein ähnliches pragmatisches Verfahren soll künftig auch von der Europäischen Gemeinschaft übernommen werden. Neben der erforderlichen Gefahrenabwehr läßt sich die erwünschte Risikominderung durch folgende Maßnahmen erreichen:

- der Grundsatz ähnlich geringen Risikos in technisch und wirtschaftlich vergleichbaren Situationen optimiert die Verwendung der für die Sicherheitstechnik erforderlichen Mittel;

- das sich dabei herausbildende Grenzrisiko ist nicht auf einen festen Wert fixiert, etwa auf die minimale Mortalität Jugendlicher, sondern richtet sich nach dem volkswirtschaftlichen Gesamtaufwand für die Sicherheitstechnik;

- das Grenzrisiko wird hierzu von Ausschüssen festgelegt, die sich aus den interessierten Kreisen repräsentativ zusammensetzen;

- die Ausschüsse streben einstimmige Beschlüsse an;

- die Beratungsergebnisse der Ausschüsse werden veröffentlicht, der Fachöffentlichkeit wird ein kontrolliertes Einspruchs-, Schlichtungs- und Schiedsverfahren geboten.

4. Subjektive Einschätzung von Wagnissen

Das Wagnis, das mit allen Vorgängen in der Natur und den technischen Einrichtungen unausweichlich verbunden ist, schätzt der Mensch nach eigentümlichen Vorstellungen ein. Seine subjektive Einschätzung und Besorgnis weichen oft weit von der Risikoskala ab. Sieht man von den persönlichen Risiken etwa eines Bergsteigers oder Drachenfliegers und den Haftungsrisiken etwa eines Hausbesitzers oder Tierhalters ab, so verbleiben die sogenannten Grundrisiken. Unterscheidet man zwischen solchen Grundrisiken aller Art

–   die von berufsmäßigen Sicherheitsfachkräften nach quantitativer Analyse als
    vertretbar oder unvertretbar angesehen werden, und

–   die die Öffentlichkeit ohne eine solche Analyse als erträglich oder uner-
    träglich empfindet,

so stellt man zunächst fest, daß Risiken der Naturgewalten wie z.B. die der
Strahlung, Fluten und Stürme als höhere Gewalt hingenommen werden. Sie sind
in der Säule 1 des Bildes 7 aufgeführt [15]. Die Säulen 2 und 3 enthalten die
Fälle, in denen Risiken und empfundene Wagnisse subjektiv gleich bewertet werden, nämlich als vertretbar und erträglich in der Säule 2, oder als unvertretbar
und unerträglich in der Säule 3. In den Säulen 2 und 3 herrscht Übereinstimmung zwischen Fachwelt und Laien.

Es verbleiben die Säulen 4 und 5, wo Risiken und empfundene Wagnisse ge-
gensätzlich bewertet werden, nämlich von den Sicherheitsfachkräften als vertretbar, von Laien als unerträglich in der Säule 4, oder von den Sicherheitsfachkräften als unvertretbar, von den Laien als erträglich in der Säule 5. Interessant
sind vor allem die Fälle größter Widersprüche. Sie sind in Bild 5 eingerahmt und
betreffen

–   subjektiv unterschätzte Risiken im persönlichen Bereich: Rauchen, Antibio-
    tika, Psychopharmaka, sowie die Dämme und Talsperren, die ihren unterbe-
    wußten Vertrauensbonus nicht immer verdienen.

–   subjektiv überschätzte Risiken im öffentlichen Bereich: Flugzeugunfälle,
    Deichbrüche in Küstennähe, Kernkraftwerke.

Die eingetragene Grauzone hat ihre obere Grenze bei der minimalen Mortalität
eines Jugendlichen nach Bild 5, und ihre untere Grenze beim Einsetzen der Naturgewalten.

Aus diesen und anderen Beobachtungen läßt sich schließen:

–   die Risiken im persönlichen Bereich werden unterschätzt: Jeder wähnt, er
    sei ein exzellenter Autofahrer;

–   die Risiken im öffentlichen Bereich werden überschätzt: Man fühlt sich dem
    Schicksal hilflos ausgeliefert;

–   Großereignisse aller Art werden überbewertet;

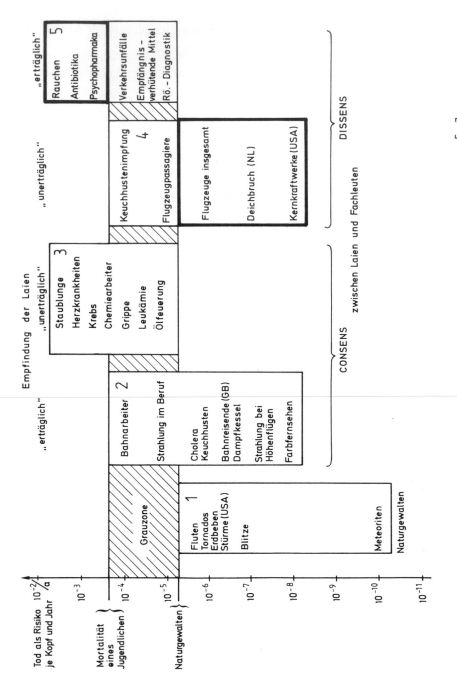

Bild 7 Einschätzung von Wagnissen durch Fachleute und Laien [15]

- schleichende Risiken etwa bei Nikotingenuß werden unterbewertet;

- in Gruppen Gleichgesinnter steigt die Wagnisbereitschaft;

- in gemischt zusammengesetzten Gruppen sinkt die Wagnisbereitschaft;

- das aktive Risiko etwa des Autofahrens wird hingenommen;

- das passive Risiko wie das der Fußgänger empört;

- es gibt Vertrauensboni etwa für das mit den Sinnesorganen wahrnehmbare Bauwesen;

- es gibt Vertrauensmali etwa für die unsichtbare Elektrizität,

- Jugendliche sind wagnisbereiter als Erwachsene;

- Frauen scheuen Wagnisse mehr als Männer;

- extrem seltene Risiken werden nur noch mit dem Gefühl erfaßt;

- manche Ängste werden durch unerfüllbare Hoffnungen verdrängt: Zur Energiebeschaffung wird die Kernfusion beschworen, die es im technischen Maßstab noch nicht gibt, oder sogar die sogenannte Tachyonenenergie, die gegenwärtig nur in der Einbildung existiert;

- manche Möglichkeiten werden durch Ängste behindert. So wurde etwa der Königin Viktoria von England von Bahnfahrten abgeraten, weil sie das königliche Herz "zerrütten" könnten.

Viele Eigentümlichkeiten menschlicher Voreingenommenheit klassifizierte schon vor mehr als dreihundert Jahren Francis Bacon in seiner Idolenlehre. Vorurteile werden danach durch mangelnde Erfahrung, aber auch durch Einflüsterungen und unzureichendes Denkvermögen geprägt. Ängste können sich als seelische Zustände mit beliebigen Objekten verbinden und vergehen erst mit besserer Einsicht.

Definiert man allgemein für Wagnisse

Subjektive Einschätzung ist gleich Aversionsfaktor mal Risiko,

so stellt man mit Blick auf die Bilder 2 und 7 fest, daß sich Aversionsfaktoren äußerst schwer bestimmen lassen. Der Wert von Meinungsumfragen [17] hängt stark von der Fragestellung und von den Tagesereignissen ab. Soziale Indikatoren wie etwa die Inkaufnahme erhöhter Risiken gegen erhöhtes Entgelt [14,

S. 129] sind selten zu finden. Wichtige Hinweise zur Akzeptanz entnimmt man der Gesetzgebung und den Gerichtsurteilen.

5.   Abschätzung der Technikfolgen

Die Beschäftigung des Gesetzgebers mit der Technik ist oft dornig und folgenreich. Bekannt ist Napoleons Fehleinschätzung des Nutzens von Dampfschiffen und des elektrischen Telegraphen: C'est une idée Germanique. 1831 entstand in Preußen durch allerhöchste Kabinettsorder die erste Dampfkesselvorschrift im deutschsprachigen Raum. Erst nachdem 1866 der erste Dampfkessel-Überwachungsverein in Mannheim gegründet wurde, überließ der Staat die Reglementierung allmählich dem in Überwachungsvereinen organisierten Sachverstand. 1869 wurde die Gewerbeordnung erlassen, deren heutiger § 24 IV die Rechtsgrundlage für 7 technische Ausschüsse im Recht der überwachungsbedürftigen Anlagen bildet. Sie erarbeiten Technische Anweisungen, die ebenso wie die DIN-Normen und VDE-Bestimmungen zum Technischen Regelwerk gehören.

In jüngster Zeit haben Umfang, Komplexität und Folgenschwere, räumliche und zeitliche Weite der zu beachtenden Vorgänge [16], sowie die internationale Bedeutung gewaltig zugenommen. Man denke etwa an die Folgen möglicher Strahlenexpositionen, an die Klimaveränderung durch den anwachsenden CO_2-Gehalt der Atmosphäre [12] oder an die Auswirkungen chemischer Produkte im Haushalt der Natur [13]. Um derartige Vorgänge zu erfassen und zu bewerten, bedarf es auf der wissenschaftlichen Seite der interfakultativen Zusammenarbeit in bisher nicht gekanntem Umfang. Darin ist auch der Gesetzgeber einzubeziehen, dem neben dem Auftrag zur Gefahrenabwehr, die sich noch mit den Mitteln der Umweltverwaltung erreichen ließe, zusätzlich die neue Aufgabe der Vorsorge durch Risikominderung erwuchs.

Die hierzu erforderliche Technikfolgenabschätzung läßt sich unterteilen in eine Wirkungsanalyse und eine Akzeptanzermittlung. Vor allem der erste Teil muß als wissenschaftliche Aufgabe angesehen werden, über den sich in der Fachöffentlichkeit Übereinstimmung erzielen läßt. Entgegen allen bequemen Behauptungen und trotz nicht zu leugnender Interessenskonflikte existiert nämlich selbst bei heiklen Themen eine übereinstimmungsfähige Fachöffentlichkeit in der Wissenschaft [3], soweit sie diesen Namen verdient. Dies ist kein Widerspruch zu der bekannten Tatsache, daß man irgendein Gefälligkeitsgutachten für beinahe jedes Anliegen erhält: Auch Heinrich VIII hatte keine Schwierigkeit, sein Scheidungsbegehren gegenüber dem Papst durch einzelne Experten zu untermauern. Wer aber die Meinung vertritt, auch in der Wissenschaft sei jeder Mensch käuflich, setzt sich bekanntlich selbst diesem Verdacht aus. Bei der Akzeptanzermittlung hingegen lassen sich wegen ihres sozialempirischen Charakters übereinstimmende Aussagen schwer erreichen.

Wirkungsanalyse und Akzeptanzermittlung sollen vereint die Überzeugungsbildung der Entscheidungsträger fördern, ohne ihnen vorzugreifen oder die Verantwortung abzunehmen. Man darf erwarten, daß diese Übertragung des Sachverstandes etwa auf ein Parlament nicht schlechter gelingt als vor Gericht [9], wo der Sachverständige eine Tätigkeit ausübt, die der Richter selbst übernähme, wenn er über die nötige Sachkunde verfügte. Die Erfahrung lehrt, daß dies aber nur dann glückt, wenn der Entscheidungsträger den kompetenten Sachverständigen nicht nur als Beweismittel, sondern auch als Partner [14] ansicht, der in die Verantwortung miteingebunden ist: Wenn die Fachöffentlichkeit eine Aussage über Technikfolgen für wissenschaftlich begründet hält, die dem Entscheidenden nicht behagt, ist eine bequeme Einigung auf das Falsche nicht zu verantworten. Der Bundesumweltminister bezeichnet die Risikoakzeptanz deshalb als gemeinsame Aufgabe von Wissenschaft und Politik [11].

Schrifttum

[1]   Grundbegriffe der Sicherheitstechnik. DIN VDE 31000 T2/12.87
      Beuth-Verlag Berlin

[2]   B.L. Cohen: Society's valuation of life saving in radiation protection and
      other contexts
      Health Physics 38 (1980) S. 33-51

[3]   B.L. Cohen: A poll of radiation health scientists
      Health Physics 50 (1986) S. 639-644

[4]   G. Hosemann: Über die Einschätzung von Risiken in der Technik.
      Techn. Überwachung 22 (1981) S. 353-356

[5]   G. Hosemann (Hrsg): Risiko - Schnittstelle zwischen Recht und Technik,
      VDE-Studienreihe Bd. 2.
      VDE-Verlag Berlin (1982) 202 Seiten

[6]   G. Hosemann, E. Wirth (Hrsg): Natürliche und künstliche Strahlung in
      der Umwelt – eine Bilanz vor und nach Tschernobyl. Erlanger Forschun-
      gen Band B 17.
      Universitätsbund Erlangen (1987), 130 Seiten

[7]   R. Klemm: Geschichte der Technik.
      rororo-Sachbuch des Deutschen Museums, Rowohlt Verlag Hamburg
      (1983)

[8]   S. Mauch, Th. Schneider: Die unmittelbare Gefährdung unseres Lebens-
      raumes.
      Schweizer Archiv 37 (1971) S. 157-185

[9]   H. Pieper, L. Breuning, G. Stahlmann: Sachverständige im Zivilprozeß.
      C.H.Beck-Verlag München (1982) 376 Seiten

[10]   W. Schüller: Der sicherheitstechnische Stand der Entsorgung.
        atw 7 (1980) S. 359

[11]   K. Töpfer: Risikoakzeptanz – Aufgabe der Politik oder der Wissenschaft?
        AGF-Mitteilungen 12. (1987)

[12]   Energie-Umwelt-Gesellschaft, sechs Vorträge von G. Bischoff, W. Häfele,
        W. Jacobis, D. Klaus, J. Mittelstrauß, W. Schmidt-Küster,
        Erlanger Forschungen Band B 9, Universitätsbund Erlangen (1979) 168
        Seiten.

[13]   Vorsorge für die Umwelt. Neun Vorträge von F. Baumgärtner, W. Buch-
        ner, G. Feldhaus, E. Hofrichter, M. Honecker, H. v. Lersner, P. Müller,
        O. Neuwirth, G. Zimmermeyer. Erlanger Forschungen Band B 14.
        Universitätsbund Erlangen (1984), 204 Seiten.

[14]   Technisches Sachverständigenwesen – Entscheidungshilfe für Rechtsspre-
        chung, öffentliche Hand und Wirtschaft, VDE-Verlag Berlin (1978) 158
        Seiten.

[15]   Nuclear and non-nuclear risk – an exercise in comparability. Herausgege-
        ben von der Europäischen Gemeinschaft EUR 6417 EN (1980)

[16]   Ermittlung und Bewertung industrieller Risiken, Symposium des BMFT.
        Springer/Verlag Berlin 1984 (284 Seiten)

[17]   Die Analyse der Sozialverträglichkeit für Technologiepolitik. High-Tech-
        Verlag München (1986) 180 Seiten

Risiken der Technik als Rechtsfrage und Domäne von Verwaltung und Rechtssprechung

von

ERNST KUTSCHEIDT

1.   Risikoabschätzung als Aufgabe des Staates

Technik ist unabänderlich mit Risiko verbunden. Ihr Einsatz bedarf also der Kontrolle und er bedarf vor allem fester Regeln, soll sich ihr Ziel, der Menschheit zu nutzen, nicht in das Gegenteil verkehren. Das wirft sogleich die Frage auf, inwieweit der Staat zur Kontrolle der Technik aufgerufen ist, also zur Festlegung von Regeln, nach denen Technik anzuwenden ist, und vor allem zur Bestimmung des noch hinnehmbaren technischen Risikos.

Der Staat hat sich im Grunde schon seit dem Aufkommen der modernen Technik zu Beginn des 19. Jahrhunderts ihrer Kontrolle gewidmet. Aber er hat das weitgehend mit den herkömmlichen Instrumentarien der Gefahrenabwehr getan[1]. Für potentiell gefährliche Anlagen wurde schon früh ein förmliches Genehmigungsverfahren eingeführt, in Preußen mit der Allgemeinen Gewerbeordnung vom 17.1.1845[2], für andere Anlagen in den §§ 24 ff. der ab 1871 einheitlich eingeführten Reichsgewerbeordnung[3] eine besondere Überwachungspflicht statuiert. Dagegen hat der Staat sich bei der Erstellung technischer Regeln einschließlich der sicherheitstechnischen Normen weitgehend zurückgehalten und das Feld privaten Normierungsverbänden überlassen. Angesichts der fortschreitenden Techniknutzung fragt sich aber, ob und in welchem Umfang er diese Abstinenz auch heute noch üben kann.

---

1   siehe Feldhaus, Gerhard: Bundesimissionsschutzrecht, Kommentar, Band 1 A, Loseblatt, Stand Oktober 1988, § 4 BImSchG, Anm. 2 ff.

2   § 26 Preußische Allgemeine Gewerbeordnung vom 17.1.1845, abgedruckt bei Landmannn-Rohmer, Gewerbeordnung und Ergänzende Vorschriften, Kommentar, Loseblatt, Stand Februar 1988, Bd. III, vor §4 BImSchG, Rdnr. 1

3   von den Ländern ab 1871 übernommene Gewerbeordnung des Norddeutschen Bundes vom 21.6.1869 (BGBl. S. 245)

Das GG scheint hier dem Staat zunächst Zurückhaltung aufzuerlegen. Insbesondere durch die Wissenschaftsfreiheit (Art. 5 Abs. 3 GG), durch die Freiheit der Berufswahl (Art. 12 GG) und den Eigentumsschutz (Art. 14 GG) – und damit durch die Erwerbsfreiheit – läßt es die Nutzung der Technik und ihre Fortentwicklung grundsätzlich zu[4]. Aber diese Freiheit kollidiert mit dem Recht der durch die Techniknutzung Betroffenen. Art. 2 Abs. 2 GG gewährleistet jedem das Recht auf Leben und körperliche Unversehrtheit. Daraus erwächst für den Staat die Pflicht, sich schützend und fördernd vor diese Rechtsgüter zu stellen[5]. Eine gleiche Schutzpflicht zur Gewährleistung des Eigentums, hier also zum Schutz vor Schäden an Sachgütern, folgt aus Art. 14 GG[6]. Der Staat hat daher die Pflicht, Gefahren, die von der von ihm zugelassenen Technik ausgehen, mit den erforderlichen Mitteln zu begegnen.

Über die Pflicht zur Gefahrenabwehr hinaus obliegt dem Staat aber auch eine Pflicht zur Risikovorsorge: auch dort, wo nach dem bisherigen Erkenntnisstand eine Gefahr noch nicht besteht, muß bestmögliche Risikovorsorge dann getroffen werden, wenn ein bestimmter Ursachenzusammenhang, der eine Schädigung als möglich erscheinen läßt, nicht ausgeschlossen werden kann. Das Bundesverwaltungsgericht spricht in diesem Zusammenhang von "Besorgnispotential"[7]. Die ausdrückliche Pflicht zur Vorsorge ist beispielsweise in § 7 Abs. 2 Nr. 3 AtG und § 5 Abs. 1 BImSchG normiert.

Soweit der Staat Technik zuläßt, ist es daher notwendig, die ihr innewohnenden Risiken zu ermitteln, die Grenze zu bestimmen, ab der sie nicht mehr zumutbar sind und damit eine Gefahr droht, und schließlich die Maßnahmen vorzuschreiben, die zur Risikominimierung aus Gründen der Vorsorge erforderlich sind. Das bedeutet freilich noch nicht, daß der Staat zur Kontrolle jedweden technischen Risikos tätig werden muß, er muß es aber jedenfalls dann, "wenn das technische Risiko erheblich ist und die Allgemeinheit berührt"[8].

---

4   Kirchhof, Paul: Kontrolle der Technik als staatliche und private Aufgabe, in: NVwZ 1988, S. 97 ff.

5   BVerfG, Beschl. v. 20.12.1979, BVerfGE 53, 300 ff.

6   BVerfG, Beschl. v. 27.9.1978, BVerfGE 49, 220 ff. (238)

7   BVerwG, Urt. v. 19.12.1985, BVerwGE 72, 300 ff.

8   Kirchhof, a.a.O. (Anm. 4)

2.   Gesetzgeber und Exekutive

Der Gesetzgeber kann diese Aufgabe regelmäßig nicht alleine leisten, er muß sich damit begnügen, die Fälle aufzuzeigen, in denen Gefahrenabwehr und Risikovorsorge geboten ist, und der Exekutive die Handlungsformen vorzuschreiben, mit denen sie beides sicherzustellen hat. Das Maß der erforderlichen Gefahrenabwehr und Risikovorsorge wird der Gesetzgeber daher regelmäßig nur durch Generalklauseln unter Verwendung unbestimmter Rechtsbegriffe umschreiben können.

Die Verwendung von Generalklauseln insbesondere im Bereich des technischen Sicherheitsrechts hat ihre guten Gründe. Zum einen kann der Gesetzgeber nicht sämtliche sicherheitstechnischen Anforderungen bis ins einzelne festlegen. Zum anderen müßte er bei einer Fortentwicklung des Kenntnis- und Entwicklungsstandes stets "nachfassen" und würde doch der Entwicklung immer hinterherlaufen. Die gesetzliche Fixierung des technischen Sicherheitsstandes würde daher dessen Fortentwicklung hemmen und wäre ein Rückschritt auf Kosten der Sicherheit. Generalklauseln vermeiden regelmäßig diese Nachteile. Eine solche Generalklausel ist beispielsweise § 7 Abs. 2 Nr. 3 AtG. Danach darf eine Kernenergieanlage nur genehmigt werden, wenn "die nach dem Stand von Wissenschaft und Technik erforderliche Vorsorge gegen Schäden durch die Errichtung und den Betrieb der Anlage getroffen ist". Das Bundesverfassungsgericht hat ausdrücklich diese "in die Zukunft hin offene Fassung" gebilligt und betont, sie diene einem "dynamischen Grundrechtsschutz"[9].

Notwendige Folge der Verwendung von unbestimmten Rechtsbegriffen ist allerdings die relative Unbestimmtheit des Gesetzes. Der Exekutive wächst damit die Aufgabe zu, diese Begriffe zu konkretisieren. Dabei erfordert das Gebot der Rechtssicherheit, das wesentliches Merkmal der Gerechtigkeit ist, die Entwicklung allgemeiner Standards, die eine gleichmäßige Anwendung des Rechts sichern. Rechtssicherheit steht allerdings in einem steten Spannungsverhältnis zur Individualgerechtigkeit. Die Exekutive hat daher ein System zu entwickeln, das die nötige Balance zwischen der Rechtssicherheit durch Aufstellung allgemeiner Standards und der Individualgerechtigkeit durch Einzelfallentscheidung wahrt. Normative Festlegungen von Sicherheitsstandards durch Verordnungen werden nur in begrenztem Umfang getroffen werden können. Sie mögen zwar

---

9   BVerfG, Beschl. v. 8.8.1978 , BVerfGE 49, 89 ff. (94)

anpassungsfähiger als ein Gesetz sein, die gegenüber einer gesetzlichen Fixierung erhobenen Vorbehalte gelten daher ihnen gegenüber nur eingeschränkt. Sie können aber immer nur Teilbereiche abdecken und werden zudem oft – um die nötige Individualgerechtigkeit zu sichern – auch nicht ohne die Verwendung unbestimmter Rechtsbegriffe auskommen. Allgemeine Verwaltungsvorschriften sind da schon flexibler. Sie können mehr ins Detail gehen, rascher angepaßt werden und der Entscheidungsbehörde die nötigen Spielräume zur gerechten Bewertung atypischer Einzelfälle eröffnen. Wo auch sie fehlen, muß notfalls auf die sicherheitstechnischen Normen der privaten Nomierungsverbände zurückgegriffen werden, denen damit im öffentlichen Recht eine bedeutende und unverzichtbare Rolle zugewiesen ist.

Nun können die sicherheitstechnischen Normen privater Normierungsverbände mangels entsprechender Legitimation keinesfalls eine strikte Bindungswirkung für sich beanspruchen; sie legen sich, das sei zu ihrer Ehre gesagt, eine solche Bindungswirkung regelmäßig auch nicht bei. Es geht also nur darum, ob und inwieweit die sicherheitstechnischen Normen "auch für die Gerichte und damit für den Bürger eine rechtlich beachtliche Konkretisierungsfunktion bei der Anwendung der unbestimmten Rechtsbegriffe zu erfüllen vermögen"[10]. Breuer hat dafür den Begriff des "antizipierten Sachverständigengutachtens" verwendet und Verwaltungsrechtsprechung und Literatur haben diese These zunächst widerspruchslos aufgegriffen, insbesondere, nachdem das Bundesverwaltungsgericht sie in dem bekannten "Voerde-Urteil"[11] auch für die Anwendung der TA Luft übernommen hatte.

3.   Akt der Wertung

Die Lehre vom antizipierten Sachverständigengutachten geht davon aus, daß sicherheitstechnische Normen und technische Verwaltungsvorschriften die allgemein anerkannte Meinung der Fachwelt widerspiegeln und damit eine Sachverständigenaussage enthalten, die die Verwaltung und das Gericht als Erkenntnisquelle wie ein sonstiges Gutachten ohne weitere Beweisaufnahme ihrer Entscheidung zugrundelegen können. Diese These könnte den Eindruck erwecken,

---

10   Breuer, Rüdiger: Die rechtliche Bedeutung der Verwaltungsvorschriften nach § 48 BImSchG im Genehmigungsverfahren, in: DVBl. 1978, S. 28 ff.

11   BVerwG, Urt. v. 17.12.1978, BVerwGE 55, 250 ff.

als gäben die technischen Regeln gewissermaßen wertfrei den Stand der Technik und den Stand der medizinisch-biologischen Erkenntnisse wieder. Breuer selbst weist demgegenüber zu Recht darauf hin, daß mit der Festlegung der Normen "über das technisch Notwendige, Geeignete, Angemessene und Vermeidbare" entschieden werde, daß ihnen also letztlich immer ein Akt der Wertung zugrundeliegt[12]. Feldhaus[13] führt hierzu ein bemerkenswertes Beispiel an: Für einen bestimmten Schadstoff ist durch eine VDI-Richtlinie ein Emisssionswert von 50 mg pro m^3 Abluft als Stand der Technik festgesetzt worden, obwohl seit Jahren vier Hersteller – die 50 % der gesamten Produktion, bei der der Stoff emittiert wird, herstellen – schon 40, 40, 25 und 20 mg/m^3 einhalten. Gleichwohl wird die Richtlinie nicht geändert und zwar mit der Begründung, eine Verringerung der Emission unter 50 mg/m^3 erfordere einen inadäquaten Aufwand und bereits bei dem festgesetzten Wert seien keine Schäden oder Belästigungen zu erwarten.

Das Beispiel erhellt, daß die Richtlinien nicht wertfrei einen abstrakten Stand der Technik beschreiben, sondern daß in das Ergebnis immer ein gerüttelt Maß an Bewertung und Abwägung einfließt. Das Bundesverfassungsgericht umschreibt dies im Kalkar-Beschluß[14] mit der Formel: "feststellen und beurteilen". Das gilt nicht nur für solche technischen Regeln, die den Stand der Technik oder den Stand von Wissenschaft und Technik beschreiben sollen, sondern auch und vor allem für die sogenannten Wirkungsstandards, solche Standards also, die die Wirkung von Umwelteinflüssen bewerten, etwa durch die Festsetzung von Immissionswerten. Die dazu erforderliche Grenzziehung zwischen zumutbarem und nicht mehr zumutbarem Risiko ist kein aus Naturgesetzen ableitbarer Vorgang, sondern erfordert stets eine subjektive Bewertung.

4.   Risikoermittlung, Bewertung, Vorsorge

Es ist eingangs bereits erwähnt worden, daß zur Festlegung von technischen Standards drei Schritte erforderlich sind: Die Ermittlung des Risikos, die Festlegung der Grenze, ab wann Gefahr droht (Grenzrisiko im Sprachgebrauch der

---

12   grundlegend zu den wertenden Komponenten technischer Regeln: Koch, Grenzen der Rechts-
        verbindlichkeit technischer Regeln im öffentlichen Baurecht, 1986

13   Feldhaus, Gerhard, Technik als Rechtsquelle, 1980, S. 4, 35

14   BVerfG, Beschl. v. 8.8.1978, BVerfGE 49, 89 ff. (94)

Vornorm DIN 31004) und die Bestimmung der etwa zur Vorsorge erforderlichen Maßnahmen.

a)   Risikoermittlung

Nun wird der erste dieser Schritte, die Risikoermittlung, vielfach als rein naturwissenschaftlich zu lösende Aufgabe angesehen[15]. Das ist so nicht richtig. Da dem Staat der Schutz des einzelnen obliegt, ist auch die Risikoermittlung Aufgabe der Exekutive. Sie hat dabei zwar die Wissenschaft zu Rate zu ziehen, darf aber die wertende Auswahl der Vorgänge, die bei der Risikoermittlung berücksichtigt werden müssen, nicht ungeprüft der Naturwissenschaft überlassen[16]. Ohne Auswahl, Wertungen und Abschätzungen kommt aber auch die Naturwissenschaft bei der Risikoermittlung nicht aus. So kann schon die Wirkungsfeststellung im Einzelfall erhebliche Schwierigkeiten bereiten.

Für nichtstochastische Schäden wird sich zwar oft mit naturwissenschaftlichen Methoden ein Schwellenwert feststellen lassen. Für den Bereich der Luftreinhaltung beispielsweise aber ist es schon undurchführbar, für alle Stoffe oder Stoffkombinationen solche Schwellenwerte zu erstellen. Es muß deshalb unter ihnen eine – wertende – Auswahl getroffen werden[17]. Hinzukommt, daß Aussagen über Kombinationswirkungen häufig nicht getroffen werden können. Die Werte für maximale Arbeitsplatzkonzentration (MAK-Werte) beziehen sich deshalb regelmäßig nur auf das alleinige Auftreten des betreffendes Schadstoffes. Der Risikofaktor "Mensch" ist ohnehin kaum quantifizierbar. Er muß aber gleichfalls in Rechnung gestellt werden, wobei insbesondere dort, wo es mit extrem hohem Schadensausmaß verbundene Störfälle gibt, nicht lediglich auf den bestimmungsgemäßen Gebrauch der Technik und vorhersehbares Fehlverhalten im Sinne der herkömmlichen Definition abgestellt werden darf. Auch hier sind also Abschätzungen erforderlich.

---

15   Roßnagel, Alexander: Die rechtliche Fassung technischer Risiken, in: UPR 1986, 46 ff.

16   BVerwG, Urt. v. 19.12.1985, BVerwGE 72, 300 ff.

17   Bick, H.: Zur Problematik der Festlegung und Umsetzung umweltverträglicher Immissionsgrenzwerte aus der Sicht der Naturwissenschaften, in: NuR 1985, 258 ff.

Bei stochastischen Schäden[18] ist nach dem heutigen Erkenntnisstand die Angabe eines Schwellenwertes überhaupt unmöglich, eine Erkenntnis, die bei der jetzigen Diskussion um die Folgen des Reaktorunfalls von Tschernobyl vielfach außer acht gelassen wird.

Gleichwohl ist die Risikoermittlung Domäne der Naturwissenschaft. Auch wenn der Staat Standards festlegt, muß er auf naturwissenschaftliche Erkenntnisse zurückgreifen. Es muß aber sichergestellt werden, daß dabei das ganze wissenschaftliche Spektrum Berücksichtigung findet, wissenschaftliche Konkurrenz nicht ausgeschlossen wird und Außenseitermeinungen nicht herrschend werden. Das gilt im besonderen Maß dort, wo gesicherte Erkenntnisse noch nicht vorhanden sind, sondern Abschätzungen erforderlich werden. Die Exekutive darf sich deshalb nicht lediglich auf eine "herrschende Meinung" verlassen, sondern muß alle vertretbaren wissenschaftlichen Erkenntnisse in Erwägung ziehen[19].

b)   Risikobewertung

Der zweite Schritt, die Festlegung des vertretbaren Grenzrisikos ist vollends ein sich rein naturwissenschaftlicher Betrachtungsweise entziehender Akt der Wertung.

Das gilt zunächst in den Fällen, in denen Normen eine bestimmte technische Methode (Anwendung bestimmter Stoffe, eines bestimmten Verfahrens usw.) als "sicher" beschreiben. Damit wird festgelegt, daß das verbleibende Risiko "vertretbar gering" ist[20]. Mit der Bestimmung dieser Grenze aber trifft der Normgeber die Entscheidung, daß das verbleibende Risiko von dem Betroffenen hinzunehmen ist.

Das Problem besteht in gleicher Weise für solche Standards, die den Stand der Technik zur Emissionsbegrenzung etwa durch Emissionswerte beschreiben, wie das eingangs erwähnte Beispiel zeigt, weil auch dabei immer eine Nutzen-Kosten-Relation aufgestellt und das Ergebnis bewertet werden muß. Die privaten Normgebungsverbände schreiben denn auch die Berücksichtigung wirtschaft-

---

18   Schäden, deren Eintritt von einem – weiteren – Zufall abhängt (Krebsrisiko)

19   BVerwG, Urt. v. 19.12.1985, BVerwGE 72, 300 ff.

20   DIN-Vornorm 31004

licher Gesichtspunkte ausdrücklich vor[21]. Der technische Standard ist eben kein Fixpunkt, sondern zeichnet sich durch eine Bandbreite mehrerer Möglichkeiten aus. Wird nun aus diesen mehreren Möglichkeiten eine als Stand der Technik bestimmt, so geschieht das unter Berücksichtigung ökonomischer Daten. Rentz[22] hat deshalb dafür auch den Begriff "Stand des vertretbaren Aufwandes" geprägt.

Schließlich ist vollends die Festlegung von Wirkungsstandards, also insbesondere von Immissionswerten ein Akt der Wertung und zwar wiederum von unterschiedlicher Qualität: Bei der Festlegung von Werten, jenseits derer Gesundheits- oder Sachgüterschäden vermieden werden sollen, wird bewertet, welches Maß an Gefährdung, mit anderen Worten, welche Wahrscheinlichkeit eines Schadenseintritts dem einzelnen zuzumuten ist; bei der Festlegung von Belästigungswerten, wie etwa den Immissionswerten für Geräusche oder Erschütterungen, wird bewertet, welches Maß an Belästigungen dem einzelnen zuzumuten ist. Dazu gehört, daß in ebensolchem Maße die Festlegung von Meß-, Analyse- und Beurteilungsverfahren eine Wertung erfordert und zwar in hohem Maße. Immissionswerte erhalten Aussagekraft erst durch das zugrundeliegende Meß- und Beurteilungssystem[23]. Durch Meßverfahrensregeln sollen der Meßaufwand reduziert und die Ergebnisse generalisiert und bewertet werden. In welcher Weise das geschieht, davon hängt in entscheidendem Maße der Aussagewert der Immissionswerte ab.

Ebenso wie die Risikoermittlung ist die Festlegung dessen, was dem einzelnen an Nachteilen, Belästigungen und Gefahren zuzumuten ist, unbestritten zunächst Aufgabe der Exekutive. Für das Atomrecht hat das Bundesverwaltungsgericht dies ausdrücklich ausgesprochen: " Die Verantwortung für die Risikoermittlung und -bewertung trägt nach der Normstruktur des § 7 Abs. 2 Nr. 3 AtG die Exekutive"[24]. Das gilt in gleicher Weise überall dort, wo die Nutzung der Technik einer staatlichen Zulassung oder Genehmigung bedarf, aber auch da, wo der Staat diese Nutzung lediglich zu überwachen hat und eingreifen muß, um Schäden Dritter abzuwehren.

---

21   vgl. z.B. DIN 820 Nr. 4.2.4

22   Rentz, Otto: Aktuelle Probleme der Richtlinienarbeit. VDI – Komission Reinhaltung der Luft, 1981, S.65, 74

23   Kutscheidt, Ernst: Die Änderung der TA-Luft aus der Sicht der Rechtsprechung, in: NVwZ 1983, 581 ff. (584); Marburger, Peter: Gutachten C zum 56. Deutschen Juristentag, 1986, S.92

24   BVerwG, Urt. v. 19.12.1985, BVerwGE 72, 300 ff.

Feldhaus[25] hat deshalb vor einiger Zeit – gewissermaßen noch im Zustand der reinen Unschuld – gefordert, die VDI-Kommission Reinhaltung der Luft etwa solle sich darauf beschränken, den "reinen Stand der Technik" zu ermitteln; Erwägungen der Erforderlichkeit und Verhältnismäßigkeit anzustellen und so den anzuwendenden Stand der Technik festzulegen, sei Aufgabe des Staates. Aber der reine Stand der Technik läßt sich wegen der jeder Festlegung innewohnenden Bewertung eben nicht beschreiben, es sei denn, man verzichtet auf jede Festlegung und beschränkt sich darauf, in einer Art Skala das Maß des jeweiligen Risikos und der jeweiligen Vermeidungskosten gegenüberzustellen. Hinzukommt, daß es oft genug Aufgabe der Exekutive sein kann, den Stand der Sicherheits- und Vermeidungstechnik voranzutreiben. Die Bemühungen um Rauchgasentschwefelung und Stickoxidbegrenzung belegen dies eindrücklich. Gerade im Bereich der Sicherheits- und Vorsorgetechnik fehlt zumeist der ökonomische Anreiz zur Fortentwicklung. Hier muß der Staat die nötigen Anreize schaffen.

Soweit die Exekutive Risikobewertungen privater Normgremien ihrer Entscheidung zugrundelegen will, darf sie das deshalb nicht gleichsam ungeprüft tun, sie muß unter Abwägung des wissenschaftlichen Meinungsstandes eine eigene Entscheidung treffen.

c)   Vorsorge

Schließlich ist auch der dritte Schritt, das Maß der erforderlichen Vorsorge zu bestimmen, staatliche Aufgabe. Auch hier ist zwar die Naturwissenschaft zur Mitarbeit aufgerufen. Sie muß insbesondere die Fälle aufzeigen, in denen wegen nicht auszuschließender Wirkungszusammenhänge Vorsorge geboten ist oder in denen, wie bei den stochastischen Schäden, das herkömmliche Instrumentarium der Gefahrenabwehr nicht greift. Das erforderliche Maß der Vorsorgemaßnahmen wird sie aber regelmäßig nicht selbst bestimmen können, weil hier in besonderem Maße die Verhältnismäßigkeit der dem Technikanwender auferlegten Pflichten zu beachten ist. So fordern die raumübergreifenden Maßnahmen zur

---

25   a.a.O. (Anm. 13)

Verbesserung der Luftqualität ein allgemeines Konzept, das die auferlegten Pflichten erst verhältnismäßig macht[26].

5. Staatliche Regelung im Immissionsschutz- und Atomrecht

Es ist eben bereits ausgeführt worden, daß es nicht Aufgabe des Staates sein kann, für jede Art der Nutzung der Technik allgemeine Regeln zu entwickeln. Aber er muß zumindest dort tätig werden, wo es um erhebliche Risiken geht und durch sie die Allgemeinheit betroffen ist. Diese Aufgabe zur Risikoermittlung und -bewertung und zur Festlegung von Vorsorgestandards hat er bisher in unterschiedlicher Weise erfüllt. Das sei anhand der Luftreinhaltung und der Überwachung der Kernenergie dargestellt.

a) Luftreinhaltung

Für den Bereich der Luftreinhaltung existiert seit langem die TA Luft, eine Verwaltungsvorschrift, die auf § 48 BImSchG beruht. Nach dieser Vorschrift erläßt die Bundesregierung nach Anhörung der beteiligten Kreise mit Zustimmung des Bundesrates – also in einem gesetzlich besonders vorgeschriebenen Verfahren – allgemeine Verwaltungsvorschriften, insbesondere zur Festlegung von Immissions- und Emissionswerten und des Verfahrens zur Ermittlung der Emissionen und Immissionen. Die TA Luft legt für einige besonders umweltrelevante Stoffe (Staub, Blei, Cadmium, Chlor, Chlorwasserstoff, Kohlenmonoxid, Schwefeldioxid, Stickstoffdioxid; ferner Thallium und Fluor) Immissionswerte und für eine Vielzahl von Stoffen Emissionswerte fest und bestimmt zugleich die entsprechenden Ermittlungs- und Beurteilungsverfahren. Darüber hinaus werden zahlreiche technische Handlungsanweisungen gegeben. Hier ist der Staat also weitgehend seiner Schutzpflicht nachgekommen. In gleicher Weise schreibt er Vorsorgemaßnahmen vor, teilweise durch Verordnung (z. B. 13. BImSchV), teilweise durch die schon genannten Emissionswerte der TA Luft. Und schließlich sucht er dem Entstehen von Gemeingefahren durch die Störfallverordnung (12. BImSchV) zu begegnen.

---

26   BVerwG, Urt. v. 17.2.1984, BVerwGE 69, 37 ff.; dazu Kutscheidt, Ernst: Die Verordnung über Großfeuerungsanlagen, in: NVwZ 1984, 409 ff.

b) Kernenergierecht

Ganz anders sieht es für den Bereich des Kernenergierechts aus. Im Atomgesetz fehlt eine dem § 48 BImSchG vergleichbare Ermächtigungsnorm. Zwar legt die Strahlenschutzverordnung Dosisgrenzwerte für den Normalbetrieb (§ 45 Strl SchutzV) und für Störfälle (§ 28 StrlSchutzV) fest, es fehlen aber weitgehend Vorschriften, die – die Pflicht des § 7 Abs. 2 Nr. 3 AtG konkretisierend – Anforderungen an Errichtung und Betrieb von Kernenergieanlagen festlegen. Statt dessen ist die Bundesregierung einen anderen Weg gegangen. Der Bundesminister des Inneren – jetzt Bundesminister für Umwelt, Naturschutz und Reaktorsicherheit – hat eine Reaktorsicherheitskommission und eine Strahlenschutzkommission gebildet[27], Gremien von unabhängigen Wissenschaftlern, die sog. "Empfehlungen" erarbeiten. Aufgrund dieser Empfehlungen sind teilweise sog. "Richtlinien" oder "Leitlinien" ergangen, formlose Übereinkommen der zuständigen Bundes- und Landesbehörden, die den Entscheidungen bei der Genehmigung und Überwachung von Kernenergieanlagen zugrundegelegt werden. Sie haben damit zwar auch eine normkonkretisierende Funktion, vermögen diese Aufgabe jedoch nur unzureichend zu erfüllen. Denn der Grad ihrer Verbindlichkeit ist gering. Sie schieben gewissermaßen immer wieder die Verantwortung den Empfehlungen von Reaktorsicherheitskommission und Strahlenschutzkommission zu. Und wo Richtlinien fehlen, kann ohnehin nur auf diese Empfehlungen zurückgegriffen werden. Das ist gerade für den Bereich des Atomrechts höchst unbefriedigend, weil hier wegen des unübersehbar großen Schadensausmaßes bei einer Katastrophe der Staat in besonders hohem Maße Verantwortung trägt, wenn er die Nutzung der Kernenergie zuläßt, und weil dabei mehr noch als in sonstigen Bereichen des technischen Sicherheitsrechts wertende Entscheidungen zu treffen sind.

Es ist eingangs bereits erwähnt worden, daß nach § 7 Abs. 2 Nr. 3 AtG Genehmigungsvoraussetzung ist, daß die nach dem Stand von Wissenschaft und Technik erforderliche Vorsorge gegen Schäden getroffen ist. Der Begriff der Vorsorge im Sinne dieser Vorschrift ist nun nicht identisch mit dem Vorsorgebegriff im sonstigen Umweltschutzrecht, insbesondere im Immissionsschutzrecht. Vorsorge im Sinne des AtG erfordert zwar auch zunächst Gefahrenabwehr im herkömmlichen polizeirechtlichen Sinne. Darüber hinaus müssen aber auch sol-

---

27   BAnz. vom 17.5.1974 S. 1 und vom 16.1.1981 S. 1

che Schadensmöglichkeiten in Betracht gezogen werden, die sich nur deshalb nicht ausschließen lassen, weil nach dem derzeitigen Wissensstand ein bestimmter Ereignisablauf mangels genauer Kenntnisse der Ursachenzusammenhänge nicht ausgeschlossen werden kann, wo also, wie es das Bundesverwaltungsgericht genannt hat, ein "Besorgnispotential" besteht. Nicht die hinreichende Wahrscheinlichkeit, daß eine Gefahr, sondern die Sicherheit, daß keine Gefahr vorliegt, ist deshalb Prüfungsmaßstab. Dabei darf nicht nur auf das technische Ingenieurwissen abgestellt werden, sondern es müssen auch theoretische Überlegungen und Berechnungen in Betracht gezogen werden[28]. Ein Risiko muß also praktisch ausgeschlossen werden; freilich bleibt dann immer noch ein unwägbares "Restrisiko", das nach der Rechtsprechung des Bundesverfassungsgerichts hinzunehmen ist[29]. Das alles erfordert in hohem Maße eine Wertung; die wissenschaftlichen Streitfragen müssen bewertet werden, das Risiko ist zu ermitteln und abzuschätzen, unterschiedliche Meinungen müssen untereinander abgewogen und gewichtet werden.

Es ist deshalb Aufgabe der Exekutive, die relativ weite Fassung des § 7 Abs. 2 Nr. 3 AtG zu konkretisieren. Diese Aufgabe erfüllt sie nur höchst unvollkommen, wenn sie dazu lediglich auf außerrechtliche Standards verweist. Daher ist zu fordern, daß in das AtG eine dem § 48 BImSchG vergleichbare Vorschrift aufgenommen wird, eine Vorschrift, die es ermöglicht, die Arbeiten von Reaktorsicherheitskommission und Strahlenschutzkommission in einem förmlich vorgeschriebenen Verfahren in staatliche Wertentscheidungen umzusetzen. Der Arbeitskreis für Umweltrecht hat jüngst einen entsprechenden Gesetzesentwurf vorgelegt[30].

6.   Gerichtliche Kontrolle

Bislang ist nur von der besonderen Verantwortung des Gesetzgebers und der Exekutive bei der Bewältigung technischer Risiken gesprochen worden. Das

---

28   BVerwG, Urt. v. 19.12.1985, BVerwGE 72, 300 ff.

29   BVerfG, Beschl. v. 8.8.1978, BVerfGE 49, 89 ff. (94)

30   Gesetzliche Verankerung der Reaktorsicherheitskommission und der Strahlenschutzkommission – ein Gesetzesentwurf des Arbeitskreises für Umweltrecht, NVwZ 1988, 1007 ff.

wirft die Frage auf, welche Aufgabe den Gerichten bei der Kontrolle der Technik zukommt.

Die Gerichte haben als Organe der rechtsprechenden Gewalt neben denen der gesetzgebenden und der vollziehenden Gewalt ihren eigenen, auf dem Rechtsstaatprinzip des Art. 20 Abs. 2 GG fußenden Kompetenzbereich, der weder von den anderen Gewalten überspielt werden darf, noch in deren Kompetenzen eingreifen darf. Zum Rechtsstaatprinzip gehört, daß jedes Streitverhältnis grundsätzlich vom Gericht selbst umfassend geprüft und von ihm selbst entschieden werden muß[31]. Dazu muß der Richter nach der ständigen Rechtsprechung des Bundesverfassungsgerichts über eine hinreichende Prüfungsbefugnis über die tatsächliche und rechtliche Seite eines Rechtschutzbegehrens verfügen und die entsprechende Entscheidungsmacht haben. Das schließt "eine Bindung der rechtsprechenden Gewalt an tatsächliche oder rechtliche Feststellungen seitens anderer Gewalten hinsichtlich dessen, was im Einzelfall rechtens ist", aus[32] und damit erst recht eine Bindung an nichtstaatliche Gewalten. Die Frage kann also nur sein, ob und in welcher Weise der Richter Verwaltungsvorschriften und außerrechtliche Normen für seine Entscheidungsfindung nutzbar machen kann. Eine allgemeingültige Antwort läßt sich dazu sicher nicht geben, es soll aber immerhin der Versuch unternommen werden, hierzu einige Überlegungen anzustellen.

a)   Normkonkretisierende Verwaltungsvorschriften

Betrachten wir zunächst solche Regeln, die die oberste Stelle der Exekutive, also in der Regel die Bundesregierung oder der zuständige Minister – regelmäßig mit Zustimmung des Bundesrates – auf Grund eines gesetzlich vorgeschriebenen Verfahrens als Verwaltungsvorschriften erlassen hat, etwa die technischen Anleitungen gemäß § 48 BImSchG. Die Exekutive trifft hierbei auf Grund einer in einem formalisierten Verfahren gewonnenen Tatsachenermittlung wegen der den technischen Regelungen innewohnenden Wertungen eine volitive, also letztlich eine politische Wertentscheidung, etwa indem sie die Behörden anweist, ihrer Beurteilung über die Schädlichkeit von Umwelteinwirkungen die festge-

---

31   Kissel, O. R.: Grenzen der rechtsprechenden Gewalt, in: NJW 1982, 1777, 1778

32   BVerfG, Beschl. v. 8.7.1982, BVerfGE 62, 82 ff.

setzten Immissionswerte zugrundezulegen. Hinsichtlich dieser Wertentscheidung steht der Exekutive ein eigener Beurteilungsbereich zu, freilich nur in dem Rahmen, in dem die auszufüllenden unbestimmten Rechtsbegriffe eine Bandbreite verschiedener Konkretisierungen zulassen. Insofern kommt diesen "normkonkretisierenden Verwaltungsvorschriften" über ihren ermessensbindenden und norminterpretierenden Gehalt hinaus eine "gehobene Außenwirkung" zu[33]. Das Bundesverfassungsgericht hat dazu festgestellt, daß "die Genehmigungsbehörde im Rahmen normativer Vorgaben und willkürfreier Ermittlungen auch Bewertungen, zum Beispiel am Maßstab des Standes von Wissenschaft und Technik ... oder des Schutzes gegen Einwirkungen zu treffen" hat und "die Gerichte solche Feststellungen und Bewertungen nur auf ihre Rechtmäßigkeit hin zu überprüfen, nicht aber ihre eigenen Bewertungen an deren Stelle zu setzen haben"[34].

Die Beachtlichkeit der Technischen Anleitungen auch für die Gerichte folgt also nicht daraus, daß sie wie ein vorweggenommenes Sachverständigengutachten zu bewerten wären, sondern aus der Tatsache, daß sie auf Grund naturwissenschaftlich-fachlich gewonnener Erkenntnisse in einem gesetzlich vorgesehenen Verfahren unter Mitwirkung der beteiligten Kreise von der hierzu berufenen obersten Stelle der Exekutive erlassen worden sind[35].

Während diese Erkenntnis sich für den Bereich der Verwaltungsgerichtsbarkeit mehr und mehr durchsetzt, wird eine wie auch immer geartete Bindungswirkung für den Zivilrichter an die Verwaltungsvorschriften abgelehnt[36]. Die Frage ist freilich mehr theoretischer denn praktischer Natur. Denn zum einen regeln die Verwaltungsvorschriften nicht die zivilrechtlichen Beziehungen von Technikanwender und Betroffenen, eine Bindung kann schon aus diesem Grunde nicht bestehen. Zum anderen legen die Zivilgerichte die in den Verwaltungsvorschriften enthaltenen Wertungen ihrer Rechtsprechung regelmäßig als "Anhaltspunkte" zugrunde[37]. Dabei wird freilich übersehen, daß die Verwal-

---

33   Sellner, Dieter: BauR 1980, 391, 403

34   BVerfG, Beschl. v. 8.7.1982, BVerfGE 62, 82 ff.

35   Kutscheidt, a.a.O. (Anm. 23), NVwZ 1983, 581, 583; OVG Lüneburg, Beschl. v. 28.2.1985, NVwZ 1985, 357; BVerwG, Beschl. v. 15.2.1988, DVBl. 1988, 539; für den Bereich des Atomrechts BVerwG, Urt. v. 19.12.1985, BVerwGE 72, 300 ff.

36   zur TA Luft vgl. etwa BGH, Urt. v. 16.12.1977, BGHZ 70, 102 ff.; Marburger, a.a.O. (Anm. 23)

37   statt vieler: BGH, Urt. v. 16.12.1977, BGHZ 70, 102 ff.; BGH, Urt. v. 18.9.1984, BGHZ 92, 143 ff.

tungsvorschriften selbst sich regelmäßig keine strikte Bindungswirkung beilegen, sondern der Berücksichtigung des atypischen Einzelfalles genügend Spielraum lassen. So läßt beispielsweise die TA Luft keineswegs jedwede Emission zu, die die in Nr. 3 TA Luft genannten Emissionswerte einhält[38], sondern fordert deren weitergehende Reduzierung, wenn sie schädliche Umwelteinwirkungen hervorrufen würden[39]. Und die TA Lärm legt den dort genannten Immissionswerten ausdrücklich nur Richtwertcharakter bei. Es ist also nicht das Ergebnis, das an der zivilrechtlichen Rechtsprechung stört, sondern die Tatsache, daß sie Verwaltungsvorschriften und außerrechtliche Standards gewissermaßen in einen Topf wirft und damit die auf gesetzlichem Auftrag beruhende Konkretisierungsfunktion der Verwaltungsvorschriften negiert.

b)   Außerrechtliche Standards

Soweit überbetriebliche technische Normen in Verwaltungsvorschriften übernommen oder jedenfalls in bezug genommen sind, nehmen sie an deren besonderer Beachtlichkeit teil. Der Richter wird deshalb in der Regel diese Vorschriften unter Hinziehung weiterer Sachverständiger seiner Entscheidung zugrundelegen und damit auch die in ihnen enthaltenen Wertungen übernehmen können, soweit es sich nicht um einen atypischen, von der generalisierenden Norm nicht erfaßten Einzelfall handelt oder die der Norm zugrundeliegenden naturwissenschaftlich-technischen Erkenntnisse überholt sind. Das erfordert schon das Gebot der Rechtssicherheit, also das Gebot der Voraussehbarkeit rechtlicher Konsequenzen[40].

Wo jeder Fingerzeig der obersten Exekutive fehlt, versagen freilich diese Kriterien. Eine Bindung des Richters an solche Normen kann nicht in Betracht kommen; die sich aus dem Gewaltenteilungsprinzip ergebende besondere Beachtlichkeit der Verwaltungsvorschriften entfällt ebenfalls. Gleichwohl können auch in diesen Fällen die technischen Normen für den Richter eine wertvolle

---

38   Das scheint aber BGH, Urt. v. 18.9.1984, BGHZ 92, 143 anzunehmen.

39   siehe z. B. Nrn. 4.1.3 und 2.2.1.4 TA Luft

40   vgl. Kutscheidt, Ernst, in: Birkhofer/Lukes (Hrsg.), Normalisierung der friedlichen Nutzung der Kernenergie, 1985, S. 81

Entscheidungshilfe sein. Dabei sind wieder unterschiedliche Kategorien zu unterscheiden.

In den Fällen, in denen der Gesetzgeber auf private technische Normen zurückgreift, sie also als vorgefunden betrachtet, wie zum Beispiel durch die Wendung "anerkannte Regeln der Technik" (z.B. in §§ 7a, 18b WHG), wird sich der Richter in der Regel darauf beschränken können zu prüfen, ob die in Bezug genommenen Regeln dem Anliegen des Gesetzgebers entsprechen. Insoweit könnten eindeutige Regelungen über die Zusammensetzung und Verfahrensweise der Normgremien und die inhaltlichen Maßstäbe, nach denen die Normen zu entwickeln sind, nützlich sein und deren Akzeptanz erhöhen.

In den Fällen, in denen der Gesetzgeber den zu interpretierenden Begriff als unbestimmten Rechtsbegriff selbst festlegt (Beispiele: "Stand der Technik", der in verschiedenen Gesetzen unterschiedlich definiert wird; "schädliche Umwelteinwirkungen"; "erheblich belästigend"; "Gefahr" im Sinne des Ordnungs- und Polizeirechts) kann die private Norm nicht mehr als sachverständige Kommentierung sein. Eine originäre Kompetenz der privaten Normgeber, diese Begriffe authentisch zu interpretieren, läßt sich auch nicht aus Art. 5 Abs. 3 GG (Wissenschaftsfreiheit) herleiten. In diesem Zusammenhang ist zu beachten, daß die Vornorm DIN 31004 Begriffe verwendet, die nicht stets mit den gesetzlichen Begriffsbestimmungen übereinstimmen. Letztere haben natürlich bei der rechtlichen Umsetzung Vorrang. Auch deshalb sollte der Interpretation gesetzlicher Begriffe durch technische Regelwerke eine Begründung beigegeben werden, um überprüfen zu können, nach welchen Maßstäben die Norm das Gesetz interpretiert. Das ist umsomehr geboten, als in die durch die Standardisierung vorgenommene Wertung vielfältige Interessen auch der beteiligten Kreise einfließen[41]. Ihre Akzeptanz würde daher erhöht, wenn die zugrundeliegenden Interessenkonflikte und ihre Bewältigung offengelegt würden.

Ist insoweit die Norm nicht zu beanstanden, dann kann allerdings der Richter auf die in der Norm enthaltenen Risikoabschätzungen auf Grund gewonnener Erfahrungssätze ohne weitere Beweisaufnahme dort zurückgreifen, wo es um die Festsetzung einer Grenze geht, jenseits derer ein bestimmtes Ereignis und damit ein Schaden nach den Maßstäben der praktischen Vernunft nicht mehr zu erwarten ist. Bei der Festlegung des Standes der Technik ist insoweit aber

---

41   ausführlich hierzu BVerwG, Urt. v. 22.5.1987, DVBl. 87, 907

besondere Vorsicht geboten. Der Richter wird stets prüfen müssen, ob die der Festlegung innewohnende Wertung dem gesetzgeberischen Ziel entspricht[42].

Soweit von privaten Normgebern Wirkungsstandards aufgestellt werden, in die in besonderem Maße Erwägungen der Verhältnismäßigkeit und Zumutbarkeit einfließen, wird der Richter sie nur nach Überprüfung und eigener Urteilsbildung seiner Entscheidung zugrundelegen können[43]. Die Legitimation zur Heranziehung der in diesen Regeln enthaltenen Beurteilungsmaßstäbe folgt daraus, daß der Richter sie selbst als richtig erkannt hat, daß er – soweit es um die Bestimmung von Zumutbarkeitsgrenzen geht (z.B. in VDI 2058) – ihre allgemeine Akzeptanz durch die Gesellschaft respektiert. Insofern haben solche Regelwerke allerdings einen hohen Stellenwert bei der richterlichen Überzeugungsbildung.

Zur Festlegung von Vorsorgestandards dürfte dem privaten Normgeber regelmäßig jegliche Kompetenz fehlen. Sie erfordern "ein Konzept, das auf einheitliche und gleichmäßige Durchführung angelegt ist". Das setzt eine staatliche Festlegung, regelmäßig durch Gesetz, Verordnung oder Verwaltungsvorschrift voraus[44].

7.   Schluß

Die Erkenntnis, daß die Abschätzung der der Technik innewohnenden Risiken keine rein naturwissenschaftlich-technische Frage ist, sondern ebenso Wertungen voraussetzt, wie die Bestimmung des noch hinzuzunehmenden Risikos und der zur Risikominderung erforderlichen Maßnahmen, gewinnt mehr und mehr an Boden[45]. Damit wird zugleich deutlich, daß die Bewertung technischer Risiken Aufgabe des Staates ist. Der Gesetzgeber wird regelmäßig nur durch Generalklauseln den Rahmen abstecken können, innerhalb deren die Verwaltung – und im Streitfall die Gerichte – die Bewertung vorzunehmen haben. So wird die

---

42   siehe hierzu Koch a.a.O. (Anm. 12)

43   so zutreffend BGH, Urt. v. 16.12.1977, BGHZ 70, 102 und BVerwG a.a.O. (Anm. 41)

44   BVerwG, Urt. v. 17.2.1984, BVerwGE 69, 37

45   grundlegend Marburger, Peter: Die Regeln der Technik im Recht, 1979

Bewertung technischer Risiken in der Tat Domäne von Verwaltung und Rechtsprechung.

ERNST KUTSCHEIDT

Abkürzungen

AtG = Gesetz über die friedliche Verwendung der Kernenergie und den Schutz gegen ihre Gefahren (Atomgesetz) i.d.F. der Bekanntmachung vom 31. Oktober 1976, BGBl. I S. 3053, zuletzt geändert durch Gesetz vom 18.2.1986 BGBl. I S. 265

BAnz = Bundesanzeiger

BauR = Baurecht, Zeitschrift für das gesamte öffentliche und zivile Baurecht

BGH = Bundesgerichtshof

BGHZ = Entscheidungen des Bundesgerichtshofs in Zivilsachen (zitiert nach Band und Seite)

BImSchG = Gesetz zum Schutz vor schädlichen Umwelteinwirkungen durch Luftverunreinigungen, Geräusche, Erschütterungen und ähnliche Vorgänge (Bundes-Immissionsschutzgesetz) vom 15. März 1974, BGBl. I S. 721, zuletzt geändert durch die dritte Zuständigkeitsanpassungsverordnung vom 26. November 1986, BGBl. I S. 2089

12. BImSchV = 12. Verordnung zur Durchführung des Bundes-Immissionsschutzgesetzes – Störfallverordnung vom 27. Juni 1980, BGBl. I S. 772, zuletzt geändert durch Verordnung vom 19. Mai 1988, BGBl. I S. 625

13. BImSchV = 13. Verordnung zur Durchführung des Bundes-Immissionsschutzgesetzes – Verordnung über Großfeuerungsanlagen – vom 22. Juni 1983, BGBl. I S. 719

BVerfG = Bundesverfassungsgericht

BVerfGE	= Entscheidungen des Bundesverfassungsgericht (zitiert nach Band und Seite)
BVerwG	= Bundesverwaltungsgericht
BVerwGE	= Entscheidungen des Bundesverwaltungsgerichts (zitiert nach Band und Seite)
DVBl	= Deutsches Verwaltungsblatt (Zeitschrift)
GG	= Grundgesetz für die Bundesrepublik Deutschland vom 23. Mai 1949, BGBl. S. 1, zuletzt geändert durch 35. Änderungsgesetz vom 21. Dezember 1983, BGBl. I S. 1481
GMB	= Gemeinsames Ministerialblatt
NJW	= Neue Juristische Wochenschrift (Zeitschrift)
NuR	= Natur + Recht, Zeitschrift für das gesamte Recht zum Schutze der natürlichen Lebensgrundlagen
NVwZ	= Neue Zeitschrift für Verwaltungsrecht (Zeitschrift)
OVG	= Oberverwaltungsgericht
StrlSchV	= Verordnung über den Schutz vor Schäden durch ionisierende Strahlen (Strahlenschutzverordnung) vom 13. Oktober 1976, BGBl. I S. 2905, zuletzt geändert durch Verordnung vom 8. Januar 1987, BGBl. I S. 114
TA Luft	= Technische Anleitung zur Reinhaltung der Luft, 1. Allgemeine Verwaltungsvorschrift zum Bundes-Immissionsschutzgesetz vom 27. Februar 1986, GMBl. S. 95
UPR	= Umwelt und Planungsrecht (Zeitschrift)

WHG = Gesetz zur Ordnung des Wasserhaushalts (Wasserhaushaltsgesetz) vom 16. Oktober 1976, BGBl. I S. 3017 in der Fassung der Bekanntmachung vom 23. September 1986, BGBl. I S. 1529

Festlegen von technischen Fortschritten
– Verantworten von Technikfolgen

von

GERT VON KORTZFLEISCH

Definitorische Vorbemerkungen: "Der Technische Fortschritt", technologische und technische Fortschritte in Theorie und Praxis.

"Der Technische Fortschritt" als globalökonomisches Phänomen und die technischen Fortschritte als einzelne Objekte des Bemühens in Forschungseinrichtungen und in Wirtschaftsunternehmen werden oft angesprochen, ohne zu sagen, was damit gemeint ist. Darunter leidet auch die aktuelle Diskussion über die Abschätzung und die Bewertung von Technikfolgen, somit auch über die Verantwortung für Technikfolgen. Daß diese Diskussion u.a. von Akademikern sehr verschiedener Disziplinen mit großem persönlichen Engagement geführt wird, z.B. von Theologen und Soziologen sowie von Naturwissenschaftlern und Rechtswissenschaftlern, muß mehr zur Unschärfe als zur Klarheit der in Rede stehenden Begriffe beitragen.

Um das vereinbarte Thema im vorgegebenen Rahmen abzuhandeln, müssen mit einigen definitorischen Vorbemerkungen zu weit gehende Erwartungen an die Breite der folgenden Ausführungen reduziert werden: Es soll nicht "der Technische Fortschritt", sondern es sollen die einzelnen technischen Fortschritte behandelt werden. Und noch wichtiger: Es werden nur die Fortschritte im Bereich der Ziviltechnik, also nicht die Fortschritte im Bereich der Militärtechnik, in die Überlegungen einbezogen. Bei Akzeptanz dieser Einschränkungen dient das folgende Schema zur Definition der Phasen von einzelnen, mehr oder weniger weiten technischen Fortschritten im Zivilsektor.

In den Nominationen und in den Deskriptoren für die Phasen von technischen Fortschritten wird die Terminologie von Ingenieuren und Betriebswirten offensichtlich, wie sie in den Wirtschaftsunternehmen unter Praktikern und in den Forschungsstätten unter Wissenschaftlern heute international üblich ist. Zur verbalen Kommunikation untereinander und miteinander benutzen Ingenieure

PHASEN-DESKRIP-TOREN	PHASENNOMINATIONEN		
	INVENTION	INNOVATION	DIFFUSION
ZIELE	ERFINDUNGEN PATENTE	REIFE PRODUKTE SICHERE PROZESSE	PRODUKT-FAMILIEN PRODUKTIONS-LINIEN
HANDELN	FORSCHEN ENTWICKELN	INVESTIEREN PRODUZIEREN	IMITIEREN ADAPTIEREN
SPRACH-LICHE ZUORDNUNG	TECHNOLO-GISCHE FORTSCHRITTE	ANLAUFENDE TECHNISCHE FORTSCHRITTE	ERWEITERTE

Definitionsschema zur Unterscheidung zwischen technologischen und technischen Fortschritten

und Betriebswirte als Vertreter realwissenschaftlicher Disziplinen mathematische Terme, um damit das "Rauschen" aus der Umgangssprache zu eliminieren. So sind technologische Fortschritte gegeben, wenn

$$\frac{\overset{i}{x}}{\underset{y}{o}}\,(v) \;>\; \frac{\overset{i}{x}}{\underset{y}{o}}\,(g) \;>\; \frac{\overset{i}{x}}{\underset{y}{o}}\,(z).$$

Darin bedeuten $\frac{i}{o}$ die Relationen zwischen einem meßbaren Prozeß-Input x und einem meßbaren Prozeß-Output y in der Vergangenheit (v), in der Gegenwart (g) und in der Zukunft (z). Im Unterschied dazu sind technische Fortschritte erst gegeben, wenn

$$\overset{a}{\frac{\Sigma i \cdot p}{d}}\,(v) \;>\; \overset{b}{\frac{\Sigma i \cdot p}{f}}\,(g) \;>\; \overset{c}{\frac{\Sigma i \cdot p}{g}}\,(z).$$
$$\Sigma o \cdot p \qquad\qquad \Sigma o \cdot p \qquad\qquad \Sigma o \cdot p$$

142

Darin kommt zum Ausdruck, daß die Summen aller Prozeß-Inputs und die Summen aller Prozeß-Outputs in die Betrachtung einbezogen werden müssen. Das Bilden dieser Summen ist aber nur möglich, wenn die verschiedenen Inputs für einen Prozeß, z.B. Energie, Material usw. sowie die verschiedenen Outputs, z.B. Werkstücke, Formteile oder dergleichen, mit ihren jeweiligen Marktpreisen bewertet, und so in die gleiche Dimension, nämlich in Geldeinheiten, umgerechnet sind.

1. Festlegen von Richtungen und von Weiten für technologische und für technische Fortschritte

Die konkreten Definitionen für technologische Fortschritte als Verbesserungen von einzelnen Wirkungsgraden und für technische Fortschritte als Verbesserungen der Wirtschaftlichkeit ganzer Prozesse haben bedeutende Konsequenzen. So wird – wohlgemerkt für den Zivilsektor – Technik zur ökonomisch genutzten Technologie, und Veränderungen von Marktpreisrelationen, z.B. zwischen Rohstoffpreisen und Konsumgüterpreisen, sind für technische Fortschritte ebenso wichtig wie Veränderungen von Wirkungsgraden.

1.1. Erwartungen und Ansprüche an technische Fortschritte

Von Fortschritten in sämtlichen Bereichen der Ziviltechnik durch Innovation zur ökonomischen Nutzung von neuen physikalischen, chemischen oder biologischen Technologien wird die Lösung so ziemlich aller materiellen und auch immateriellen Probleme erwartet. Das gilt für einzelne Menschen und Familien ebenso wie für Unternehmen und Behörden sowie schließlich für Volkswirtschaften und auch für die Weltwirtschaft.

Am allgemeinsten und so am nichtssagendsten kommt das zum Ausdruck, wo der generelle Anspruch gestellt wird, technische Fortschritte müßten zur "Verbesserung der Lebensqualität" beitragen. Wessen Lebensqualität damit gemeint ist – die der alten oder die der jungen Menschen, die der Reichen oder die der Armen, die der Städter oder die der Landbevölkerung, die der produktiv Tätigen oder die der konsumtiv Müßigen usw. – bleibt offen. Aber selbst wenn die Zielgruppen für Verbesserungen ihrer Lebensqualität abzugrenzen sind, kann niemand sicher sagen, welche Attribute zu wessen Lebensqualität gehören – etwa die Gesundheit, die Sicherheit, die Freiheit, die sozialen Kontakte oder die Erfolgserlebnisse des einzelnen – und welche Position auf einer Prioritätenordinalen jedem dieser Attribute zukommt.

Eine Übersicht über jetzt und auf absehbare Zeit wichtige Determinanten für technische Fortschritte vermittelt folgendes Schema:

	ÖKONOMISCH RELEVANTE	
	REALE FAKTEN	POLITISCHE PROGRAMME
GLOBAL	WELTBEVÖLKERUNGSENTW.	SICHERN DES WELTFRIEDENS
	WELTGÜTERBEDARF / WELTGÜTERNACHFRAGE	ANGLEICHEN DER MATERIELLEN LEBENSSTANDARDS
	WELTROHSTOFFVORKOMMEN	WELTWIRT. ARBEITSTEILUNG
NATIONAL	DEMOGRAPHISCHE DATEN	SICHERN DES SOZIALFRIEDENS
	EINKOMMENS- UND VERMÖGENSVERTEILUNG	NIVELLIEREN DER EINKOMMEN UND VERMÖGEN
	ARBEITSZEIT / FREIZEIT	ERHÖHEN DER REALEINKOMMEN

Schema zur Übersicht über wichtige Determinanten für Ansprüche und Erwartungen an technische Fortschritte

Wenngleich alle Nationalökonomien mehr oder weniger in die Globalökonomie integriert sind, ist die Differenzierung der Fakten und Programme nach ihren globalen und nationalen Dimensionen doch sinnvoll. Dies ist damit zu begründen, daß sich die Weltmarktpreise und die Binnenmarktpreise der wichtigsten Produktionsfaktoren sehr verschieden entwickeln können. Bei den Preisen für den Produktionsfaktor Arbeit ist das offensichtlich; hierbei handelt es sich um politische Preise – jedenfalls für die Arbeitslöhne und Lohnnebenkosten, die in Verhandlungen zwischen den Tarifparteien vereinbart sind. Dem Wirken der Weltmarktkräfte ist auch die Preisentwicklung für die Energieeinsätze weitgehend entzogen; als Tarife der durchweg öffentlichen Versorgungsbetriebe werden die Energiepreise vor allem nach Maßgaben der nationalen Energiepolitik festgesetzt. Bei den Rohstoffpreisen ist das anders; es sei denn, ein

144

Staat subventioniert die Förderung heimischer Rohstoffe aus anderen als ökonomischen Gründen. Die Preise für den Produktionsfaktor Kapital können am wenigsten politisch manipuliert werden, wenn die Währungen konvertierbar sind; denn von allen Märkten funktionieren die nationalen und die internationalen Finanzmärkte am besten – im Sinne der ökonomischen Theorie.

Die Unterscheidung zwischen realen Fakten und politischen Programmen resultiert daraus, daß diese beiden Kategorien unterschiedlich und im Zeitablauf mit wechselnder Intensität ökonomisch relevant werden – und dann über Preisänderungen Richtungen und Weiten für technische Fortschritte beeinflussen. Die Weltbevölkerungsentwicklung z.B. hat als unbestrittenes Faktum bisher und in absehbarer Zukunft keinen direkten Einfluß auf Ansprüche und Erwartungen an technische Fortschritte. Das ist nur dort der Fall, wo aus dieser Entwicklung bevölkerungspolitische Konsequenzen gezogen und in nationale Programme zur Geburtenkontrolle umgesetzt werden. Im Gegensatz dazu ist das Erhöhen der Realeinkommen als Teil aller nationalen politischen Programme ein direktes Agens für technische Fortschritte. Dazu drängt schon die Relation zwischen Arbeitszeit und Freizeit wegen steigender Preise für Personaleinsätze und bedingt durch eine partiell wachsende wirksame Nachfrage, z.B. nach hochwertigen Sportgeräten.

1.2.   Verfahren zur Vorschau auf technische Fortschritte

Wenn Preisänderungen mit positiven oder negativen Vorzeichen bei den Inputs und Outputs der industriellen Prozesse als Zugkräfte für technische Fortschritte zu deklarieren sind, dann können neue ingenieurwissenschaftliche Erkenntnisse - also technologische Fortschritte – als Druckkräfte für technische Fortschritte gelten. Künftige technologische Fortschritte, an die zunächst keine ökonomischen Maßstäbe angelegt werden, sind von den jeweils zuständigen Fachleuten in allen Disziplinen klarer vorauszusehen als Preisänderungen. Hier müssen Vermutungen angestellt werden über politische Marktbeeinflussungen; dort können Experten mit ihren Informationen über Erkenntnisfortschritte im Bereich der Naturwissenschaften relativ weit vorausehen, welche technologischen Fortschritte wann zu erwarten sind.

Zur Vorschau auf technologische Fortschritte werden während der vergangenen drei Dekaden rund ein Dutzend Verfahren – teils von Praktikern, teils von

Theoretikern – in der einschlägigen Literatur abgehandelt. Diese sind – ohne Anspruch auf Vollständigkeit – in der folgenden Übersicht nach ihren besonderen Merkmalen getrennt und zusammengestellt:

VERBALE, MEHR NORMATIVE			DIGITALE, MEHR EXPLORATIVE	
EINZEL-VERFAHREN	GRUPPEN-VERFAHREN	STATISTISCHE VERFAHREN	WERTANALYSE-VERFAHREN	SYSTEM-ANALYSE-VERFAHREN
NUTZEN V. PERSÖNLICHEN ERFAHRUNGEN	SCENARIO WRITING	TREND-EXTRAPOLATION	SCORING-MATRIZEN	
	EXPERTEN-DELPHI	HÜLLKURVEN-EXTRAPOLATION	RELEVANZ-BÄUME	CROSS-IMPACT MATRIZEN ODER NETZWERKE
INTUITIVE IDEEN-PRODUKTION	BRAIN-STORMING	REGRESSIONS-ANALYSEN	MORPHOLOGISCHE KÄSTEN	HEURISTISCHE COMPUTER-SIMULATIONEN

Übersicht über Verfahren des "Technology Forecasting"

In der Zusammenstellung von verbalen, mehr normativen Verfahren zur Vorschau auf technologische Fortschritte ist die intuitive Ideenproduktion besonders herausgestellt. Am anderen Ende sind unter den digitalen, mehr explorativen Verfahren die heuristischen Computersimulationen hervorgehoben. Der Grund dafür ist subjektiv: Mit den beiden eingerahmten Verfahren hat das eigene Institut bisher bei seinem Zusammenwirken mit Industrieunternehmen und Großforschungseinrichtungen die umfangreichsten und durchweg gute Erfahrungen machen können. Das gilt besonders für Computersimulationen nach mehr oder weniger umfangreichen Systemanalysen im Bereich des Maschinen- und Anlagenbaus, für die Automobilindustrie, für die Chemische Industrie und für die Energiewirtschaft. In alle diese Analysen sind außer ökonomischen und technologischen Determinanten zusätzlich ökologische und soziologische Parameter künftiger Entwicklungen bis zum jeweiligen Projektionshorizont einbezogen. Je

146

nach Problemdefinition liegen diese Projektionshorizonte mindestens fünf, höchstens 30 Jahre weit in der Zukunft.

1.3. "Computer-Kompaß" für Fortschrittsrichtungen

Zur Erkenntnis der Richtungen, in die technische Fortschritte durch Preisänderungen bei den Einsätzen für industrielle Prozesse gedrängt werden, ist für heuristische Simulationen ein "Computer-Compaß" entwickelt worden. Darin sind die vier Himmelsrichtungen der Windrose ersetzt durch die jeweiligen Kosten der vier Einsatzarten Personal, Material, Kapital und Energie. Jede dieser Kategorien ist weiter gegliedert in drei Input- bzw. Kostenarten, z.B. die Personalkosten in solche für Manager und Ingenieure, für Produktions- und Administrations-Fachleute sowie für Fabrik- und Büro-Hilfskräfte. Preissteigerungen, etwa im Personalsektor als Ergebnis von Tarifverhandlungen, drängen zu Fortschritten der Produktionstechnik in Richtung auf weniger Einsätze des betroffenen Personals – u.U. bis zur menschenleeren Fabrik. Vice versa drängen Preissenkungen, etwa im Materialbereich aufgrund der Unhaltbarkeit von Kartellabsprachen, zu technischen Fortschritten in Richtung auf vermehrten Materialeinsatz – u.U. bis zur Materialvergeudung.

Je drei Kostenarten in vier Inputkategorien ergeben zwölf Kostenarten, bei denen Preisänderungen technische Fortschritte zu Modifikationen der Zeit-Mengen-Gerüste von Produktionsprozessen drängen können. Jede dieser zwölf Kostenarten (k) kann durch technische Fortschritte alleine oder gemeinsam mit anderen – im Extrem mit allen anderen – vermehrt ($\triangle$ k > 0) oder vermindert ($\triangle$ k < 0) werden, aber jede Kostenart kann auch von einzelnen technischen Fortschritten unbeeinflußt sein ($\triangle$ k = 0). Aus diesen drei Möglichkeiten bei zwölf Kostenarten ergeben sich theoretisch insgesamt 3^{12} = 531.441 Varianten für technische Fortschritte, zu deren Identifikation der "Computer-Kompaß" nützlich ist.

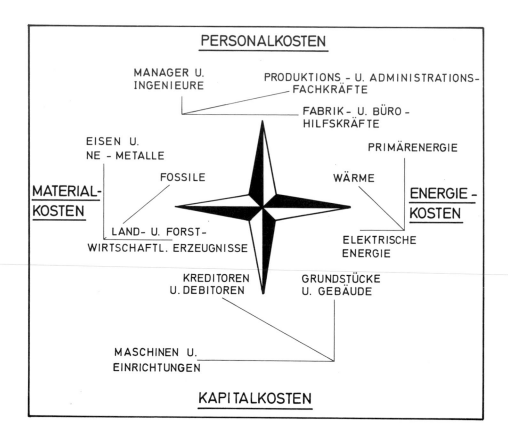

"Computer-Kompaß" für Richtungen technischer Fortschritte

Damit die mit Hilfe eines solchen Kompasses nach Maßgabe von Preisentwicklungen definierten FuE-Projekte die "gesamtwirtschaftlich richtigen" technischen Fortschritte einleiten, muß mindestens eine Bedingung erfüllt sein: Die

Beteiligten an der Preisbildung, also die Anbieter und Nachfrager, dürfen bei ihren Verkaufs- oder Kaufentscheidungen keinen Zwängen ausgesetzt sein – sei es, daß existenzielle Not ihnen keine Wahl läßt; sei es, daß politische Pressionen ihre Freiheit, eigenverantwortlich zu entscheiden, weitgehend einschränken.

Die Gültigkeit dieser Bedingung ist empirisch zu belegen: Von den rund 160 Nationalökonomien, die es jetzt auf der Erde gibt, sind nur rund 20 die sog. Reichen, und nur diese praktizieren ein Wirtschaftssystem, das zu einer parlamentarischen Demokratie paßt. In den übrigen rund 140 Volkswirtschaften beherrscht entweder eine Partei oder eine Militärjunta oder eine Priesterkaste oder eine Administrations-Bürokratie die Ökonomie ebenso wie die Politik mit dem Resultat, daß technische Fortschritte nach dorthin transferiert werden müssen. Die Ursache solcher Transfers ist nicht, daß die Menschen in den Plan-Verwaltungswirtschaften weniger kreativ wären als die Menschen in den Marktwirtschaften; was hier offenbar besser funktioniert als dort, ist das Umsetzen von Inventionen in Innovationen. Nord-Korea als eines der ärmsten Länder der Welt und Süd-Korea als eines der Schwellenländer mit dem höchsten Pro-Kopf-Einkommen, aber auch die DDR und die Bundesrepublik sind dafür eindrucksvolle Beispiele.

2. Inventionen (Erfindungen) und Innovationen als Phasen von technischen Fortschritten

Die Kompetenz, technische Fortschritte festzulegen, und die Pflicht, Technikfolgen zu verantworten, sind für den Bereich der Ziviltechnik in den marktorientierten Wirtschaftssystemen eindeutig zuzuordnen. Zu diesem Zweck ist an die definitorischen Vorbemerkungen zu erinnern, wo zwischen technologischen Fortschritten in der Inventionsphase und technischen Fortschritten in der Innovationsphase sowie in der Diffusionsphase unterschieden wird. Hier ist jetzt zu klären, wer in diesen Phasen das Handeln bestimmt, wer dafür die Kosten trägt, wem Erfolge dieses Handelns zufließen, bzw. wer für Mißerfolge haftet.

2.1. Patentwesen, Erfindungen und Erfinder

Das Patentwesen der Bundesrepublik, basierend auf dem Deutschen Patentgesetz von 1877, realisiert in den Funktionen des Deutschen Patentamtes (München) und judiziert in einer darauf spezialisierten Gerichtsbarkeit, ist vorbildlich für die Welt – soweit persönliches Eigentum und damit geistiges Eigentum nicht in Frage gestellt ist. Demnach gelten die folgenden Aussagen für weite Bereiche der Globalökonomie, wo zur Zeit große Schwellenländer wie Brasilien und die VR China ihr nationales Patentwesen nach hiesigem Vorbild reformieren. Für Japan ist das Deutsche Patentwesen seit der Jahrhundertwende nachahmenswert. Außerdem belegen empirische Analysen in der Bundesrepublik und in den Vereinigten Staaten, daß Erfinder und Innovatoren hier wie dort weitgehend identische Gruppen sind und bei technischen Fortschritten ziemlich genau die gleichen Rollen spielen.

Patente sind auf ihre Berechtigung hin vom Patentamt geprüfte und erteilte Schutzrechte für Erfinder, die neue Regeln für nützliches technisches Handeln erdacht haben. Neu bedeutet in diesem Zusammenhang, was nicht zum gegenwärtig bekannten "Stand der Technik" gehört und nicht veröffentlicht ist. Als nützlich gilt technisches Handeln, das "gewerblich anwendbar" ist, wobei nicht geprüft wird, ob die gewerbliche Anwendung dem Patentinhaber wirtschaftliche Vorteile bringt. Diese wirtschaftlichen Vorteile werden aber unterstellt, denn mit dem Patent erhält zunächst der Erfinder das ausschließliche Recht, seine Erfindung zu vermarkten. Das kann im eigenen Gewerbebetrieb geschehen oder durch ein fremdes Unternehmen, dem das Patent vom Erfinder gegen Entgelt übertragen worden ist. Weil grundsätzlich angenommen wird, daß Patente einen wirtschaftlichen Wert haben, sind zunächst vom Patentanmelder und nach Patenterteilung vom Inhaber des Patentes während der ganzen Schutzzeit Gebühren an das Patentamt zu entrichten. Das gesamte Patentwesen ist demnach darauf abgestellt, technische Fortschritte nach ökonomischen Kriterien zu fördern.

Zur Gewährung des Schutzrechtes für eine Erfindung wird vorausgesetzt, daß diese sich nicht für den (durchschnittlichen) Fachmann in naheliegender Weise aus dem Stand der Technik ergibt (§4 Satz 1 PatG); nur eine bestimmte "Erfindungshöhe", die durch schöpferische Leistungen erreicht wird, rechtfertigt das Erteilen eines Patentes. Zwischen dieser Erfindungshöhe und der Höhe des Preises, zu dem das dafür erteilte Patent im Falle der Veräußerung seinen Besitzer wechselt, besteht nur ein loser Zusammenhang. Der "Markt", auf dem Schutzrechte angeboten und nachgefragt werden, ist mit allen anderen Gütermärkten kaum zu vergleichen. Jedes Patent ist ein Unikat, dessen wirtschaftlicher Nutzen nur unvollkommen abzusehen ist, und die Marktmacht von Patentanbietern und Patentnachfragern kann sehr verschieden groß und wirksam sein. Die folgenden Zahlen für die Bundesrepublik aus dem Jahre 1987 vermitteln cum grano salis einen Eindruck vom hiesigen Patentmarkt.

VERTEILUNG DER BEIM DPA 1987 REGISTRIERTEN			
ERFINDER		PATENTINHABER	
ARBEITNEHMERERFINDER	75 %	INDUSTRIEUNTERNEHMEN (EINSCHL. MITTELSTAND)	71 %
UNTERNEHMERERFINDER	22 %	FREIE ERFINDER (EINSCHL. UNTERNEHMER-ERFINDER)	23 %
FREIE ERFINDER	3 %	BERATER (EINSCHL. ING.-BÜROS)	3 %
		WISSENSCH. INSTITUTE	2 %
		SONSTIGE	1 %

Zahlen zur Charakteristik des "Patentmarktes" in der BRD

Vorstehende Zahlen lassen erkennen, daß die allermeisten Erfindungen in den Industrieunternehmen gemacht und dann dort auch als Patente genutzt werden. Der relativ große Anteil der Unternehmererfinder einerseits und der mittelständischen Unternehmen als Patentinhaber andererseits ist bemerkenswert und wird in empirischen Analysen für die Bundesrepublik und für die USA nahezu identisch bestätigt. Die Gründe dafür, daß die beiden wichtigsten Phasen der technischen Fortschritte, die Inventionsphase und die Innovationsphase, sehr oft in ein und demselben Unternehmen vollzogen werden, liegen auf der Hand: In marktwirtschaftlich verfaßten Nationalökonomien tragen die Unternehmen als juristische Personen und damit die Inhaber der Unternehmen als natürliche Personen das volle Risiko, wenn die Verwertung von Patenten nicht den erwarteten ökonomischen Nutzen stiftet. Die relativ große Repräsentanz der Mittelständischen unter den Unternehmen, die als Innovatoren technische Fortschritte einleiten, ist ebenfalls leicht zu erklären: Viele dieser mittelständischen Unternehmen florieren mit Patenten ihrer Inhaber und diese können – im Gegensatz zu Arbeitnehmererfindern in Großunternehmen – selber darüber entscheiden, ob ihre Erfindungen genutzt werden.

2.2. Ökonomische Kalküle von Innovationen

Bevor Erfindungen – sei es aus eigener Forschung und Entwicklung oder als rechtmäßig erworbene Patente – in einem Unternehmen zur Verbesserung von Produkten oder zur Veränderung von Prozessen in Fabriken und Büros zum Einsatz kommen, muß mit ökonomischen Kalkülen nachgewiesen sein, daß sich Produkt- und/oder Prozessinnovationen für dieses Unternehmen rentieren. Derartige Kalküle sind durchweg Kosten : Nutzen-Analysen, in denen geprüft wird, wie Kosten- und Nutzenänderungen durch die beabsichtigten technischen Fortschritte per Saldo das Unternehmensergebnis beeinflussen werden. In diese Innovationskalküle müssen manche Annahmen eingehen, z.B. über die Reaktionen der Marktpartner; und solche Kalküle sind breit anzulegen, um alle ökonomischen Konsequenzen neuer Technologien zu erfassen, z.B. für das übrige Produktsortiment und/oder für die anderen Prozeßsektoren. Auch die temporäre Dimension solcher Kalküle ist wichtig, m.a.W. die Frage, in welcher Zeit Innovationen ihre Rentabilität erwiesen haben sollten.

Wo nach den Ergebnissen ökonomischer Kalküle über Innovationen entschieden wird – sei es von Unternehmensinhabern oder in Vorständen oder Aufsichtsräten –, da werden Richtungen und Weiten von technischen Fortschritten festgelegt. Diese Kompetenz wird vom Anfang der Industrialisierung an mit mehr oder weniger weitgehenden sozialistischen Ideologien mehr oder weniger radikal attackiert. Dabei ist in unserer Zeit bemerkenswert, daß dort, wo der Sozialismus real existiert, z.B. in der UdSSR und in der DDR, die Kompetenz zum Festlegen technischer Fortschritte von den politischen Instanzen auf die Leitungskader der Wirtschaft übertragen werden soll. Von dieser Neuordnung der Zuständigkeiten für techno-ökonomische Entwicklungen wird u.a. die Beseitigung von Versorgungsengpässen für die Bevölkerung bei nahezu allen Gütern des täglichen Bedarfs erwartet. In den marktwirtschaftlich organisierten Nationalökonomien, wo die Wohlstandsgesellschaft mit Konsumgütern eher überversorgt ist, so u.a. auch in der Bundesrepublik, wird diskutiert, wie die Freiheit der Wirtschaftsunternehmen, technische Fortschritte festzulegen, eingeschränkt werden kann. Hier wie dort scheint der Zusammenhang zwischen den Resultaten mikroökonomischer Kalküle zur Beeinflussung der Rentabilität von Unternehmen einerseits und dem makroökonomischen Wachstum andererseits weithin unklar zu sein.

Die Kosten als Elemente in Kosten : Nutzen-Analysen sind die mit ihren Marktpreisen bewerteten persönlichen, materiellen und immateriellen Einsätze für Produktionsprozesse. Dem stehen als Nutzen gegenüber die mit ihren Marktpreisen bewerteten Ergebnisse dieser Produktionsprozesse. Die persönlichen, materiellen und immateriellen Einsätze für ihre Produktionsprozesse müssen die einzelnen Wirtschaftsunternehmen von der Gesamtwirtschaft gegen Entgelt beschaffen, also kaufen. Die Ergebnisse ihrer Produktionsprozesse müssen diese Unternehmen an die Gesamtwirtschaft gegen Entgelt absetzen, also verkaufen. Dabei wird von den Unternehmen erwartet, daß der gesamtwirtschaftliche Wert der produzierten Güter höher ist als der gesamtwirtschaftliche Wert der eingesetzten Produktionsfaktoren. Wäre dies anders, dann würden die Unternehmen nicht zur Wohlstandsmehrung, sondern zur Wohlstandsminderung der Gesellschaft beitragen. Zwischen den Fähigkeiten der Unternehmen, ihre Produktionsprozesse effizient zu organisieren, und dem allgemeinen Wohlstand in einer Nationalökonomie besteht ein direkter Zusammenhang. Wo die Unternehmen diese Fähigkeiten nicht haben oder nicht entfalten können, da sind auch keine Mittel verfügbar, z.B. für Kapazitäten im Bildungswesen, für Subventionen an die Landwirtschaft oder für Maßnahmen zum Umweltschutz oder dergleichen.

Der Zusammenhang zwischen dem Wachstum des Bruttosozialproduktes einer Nationalökonomie während eines Jahres ($\triangle$ BSP) und den von allen (N) dazu gehörenden Unternehmen ausgewiesenen Jahresergebnissen als Differenzen zwischen ihren Erträgen und Aufwendungen (E-A) ist eindeutig:

$$\triangle \text{BSP} = \sum^{N} (\text{E-A}).$$

Für ökonomische Kalküle als Kosten : Nutzen-Analysen von Innovationen besteht aber die Schwierigkeit, von den Analyseresultaten für einzelne Prozesse oder Produkte auf die Erträge und Aufwendungen des ganzen Unternehmens zu schließen. Zum Überwinden dieser Schwierigkeit gehören solide Kenntnisse des betriebswirtschaftlichen Rechnungswesens, und, wo diese nicht vorhanden sind oder nicht zum Zuge kommen, besteht die Gefahr, daß im technischen Fortschritt ganz weit vorne stehende Unternehmen unrentabel und dann aus der Gesamtwirtschaft eliminiert werden. Während der vergangenen rund 30 Jahre gibt es dafür auch in der Bundesrepublik mehrere spektakuläre Beispiele.

2.3.   Problematik von "Technology-Assessments"

Unter dem Eindruck der schnell wachsenden Ausgaben für die mit Steuergeldern finanzierten FuE-Projekte in den USA kommt dort vor ca. 25 Jahren der Begriff Technology-Assessment auf. Das Wort Assessment stammt als Tax-Assessment, deutsch Steuerveranlagung, aus der Finanzverwaltung. Wo hierzulande das Fremdwort als terminus technicus gemieden wird, spricht man von Technikfolgen-Abschätzung oder -Einschätzung und/oder Technikbewertung oder auch von Technikfolgen-Bewertung. Was damit gemeint ist, insbesondere, daß Bewertung nicht im betriebswirtschaftlichen Sinne verstanden werden darf, macht folgende Definition des VDI deutlich:

"Technikbewertung bedeutet hier das planmäßige systematische, organisierte Vorgehen, das
- den Stand einer Technik und ihre Entwicklungsmöglichkeiten analysiert;
- unmittelbare technische, wirtschaftliche, gesundheitliche, ökologische, humane, soziale und andere Folgen dieser Technik und mögliche Alternativen abschätzt;
- aufgrund definierter Ziele und Werte diese Folgen beurteilt und auch weitere wünschenswerte Entwicklungen fordert;
- Handlungs- und Gestaltungsmöglichkeiten daraus ableitet und ausarbeitet;

so daß begründete Entscheidungen ermöglicht und gegebenenfalls durch geeignete Institutionen getroffen und verwirklicht werden können."[1]

---

1   Stellungnahme des VDI zur Institutionalisierung der Technikfolgenabschätzung, Düsseldorf 1986

154

Wer jemals in einer der VDI-Gesellschaften eine Richtlinie oder in Verbänden oder Vereinen eine Satzung zusammen mit anderen formuliert hat, der wird dem vorstehenden langen Satz gegenüber nicht kritisch sein. Die Problematik von Technology-Assessments scheint in dieser Definition auch nur durch, wo von anderen als technischen und wirtschaftlichen Folgen einer Technik gesprochen wird sowie von definierten Zielen und Werten zur Beurteilung dieser nicht-technoökonomischen Folgen. Welche Institutionen im letzten Teilsatz gemeint sind, die aufgrund von TAs Entscheidungen treffen und verwirklichen können, läßt die VDI-Definition offen. In dieser Hinsicht deutlicher, weil er das Einrichten einer ständigen TA-Institution nach dem Vorbild des im Jahre 1972 in Washington eingerichteten Office of Technology Assessment (OTA) begründen will, ist Josef Bugl. Ihm zufolge soll Technikfolgen-Abschätzung, "unter Nutzung wissenschaftlicher Methoden, die direkten und indirekten, gewollten und nicht-gewollten, synergistischen und zeitverzögerten sozialen und ökologischen Wirkungen und Folgen des Einsatzes von Technik darstellen, um sie politisch bewertbar zu machen"[2] Zu dieser politischen Bewertung und für daraus abzuleitende Beschlüsse des Parlamentes über technische Entwicklungen soll die zu institutionalisierende TA-Kommission – anders als in den USA – konkrete Vorschläge ausarbeiten.

Gegen objektive Voraussichten auf die Folgen neuer Techniken – soweit wie möglich in die Zukunft und so breit wie möglich in allen betroffenen Daseinsbereichen – ist nichts einzuwenden. Sind daran mehrere Personen mit unterschiedlichen Ansichten über künftige Entwicklungen beteiligt, so werden die Differenzen offenkundig, sobald solche Ansichten in die Konstruktion eines computerfähigen kybernetischen Modells eingehen sollen. Nur mit solchen Computermodellen sind nämlich die Ursachen-Wirkungsketten und deren wechselseitige Interdependenzen in einem holistischen System darzustellen und bis zum gesetzten Projektionshorizont zu simulieren. Computer reagieren bekanntlich sehr kraß auf Denkfehler und Widersprüche in den von ihnen auszuführenden Programmen, die in mathematischer Sprache und mit Zahlen geschrieben sein müssen. Die für Computer verständlichen Sprachen bewahren die Modellkonstrukteure auch davor, aneinander vorbei zu reden; Computersprachen sind insoweit der Umgangssprache, aber auch den verschiedenen Fachsprachen eindeutig überlegen.

---

2   Aus einer Rede des Vorsitzenden der Enquete-Kommission beim Symposium "Das Parlament und die Herausforderung durch die Technik" in Berlin am 30.9. und 1.10.1986.

Die Problematik der Technikfolgen-Bewertungen beginnt, wo hinter den technischen und wirtschaftlichen Folgen in der VDI-Definition gesundheitliche, ökologische, humane, soziale und andere Folgen – was immer diese sein mögen – als Erkenntnisziele angesprochen sind. Und diese Problematik wird deutlich, wo im folgenden Teilsatz der VDI-Deklaration von definierten Zielen und Werten die Rede ist, aufgrund derer alle diese Folgen beurteilt werden sollen und nach denen weitere wünschenswerte Entwicklungen bestimmt werden können. Über solche Ziele und Werte in den techniktangierten Bereichen Gesundheit, Umwelt, Humanität, Gesellschaft und anderen dürfte kaum Einigkeit zu erzielen sein in einer nach Proporz von den Parteien und von den sogenannten gesellschaftlich relevanten Gruppen beschickten Kommission. Folglich sind hierzu Mehrheitsentscheidungen und Sondervoten von überstimmten Minderheiten zu erwarten, mit denen sich dann das Parlament auseinandersetzen muß. All das soll inszeniert werden, weil angeblich die Marktkräfte nicht ausreichen, unerwünschte Technikfolgen zu verhindern. Aber ob dabei mehr und für die Allgemeinheit nützlichere Innovationen herauskommen als dort, wo die Marktkräfte ganz ausgeschaltet sind, ist zweifelhaft. Solche Zweifel wären nur auszuräumen, wenn diejenigen, die als Politiker über technische Entwicklungen entscheiden, von den Konsequenzen ihrer Beschlüsse – sei es im Guten oder im Schlechten – ebenso direkt finanziell betroffen würden wie die Inhaber innovativer Unternehmen.

3. **Beurteilen von Technikfolgen in den Humansphären Technik und Wirtschaft, Recht und Politik, Kultur und Religion**

Diskussionen über Technikfolgen und darüber, wer diese zu verantworten hat, werden mit zunehmender Distanz der Standpunkte, von denen aus diskutiert wird, immer kontroverser. Selbst ob die Folgen einzelner technischer Entwicklungen, von denen jedermanns Wohlstand betroffen ist, positiv oder negativ zu bewerten sind, wird oft umstritten – und das nicht nur von Vertretern extremer Randgruppen. Damit ist der Bedeutung der Technik und ihrer Fortschritte für die Lebensqualität der Menschen nicht gerecht zu werden. Außerdem beleidigen und verunsichern die teilweise bis zur Bösartigkeit unsachlichen Diskussionen über die Technik eine große Personengruppe, auf deren Leistungen letztendlich niemand verzichten will. Dazu gehören Ingenieure und Betriebswirte als Erfinder und Unternehmer ebenso wie als Konstrukteure und Kalkulatoren oder als Betriebsleiter und Marktforscher.

Zur Erklärung von kontroversen Diskussionen über die Technik, vor allem über einzelne Techniken und deren Folgen, ist eine Standortbestimmung für die Herkunft der Emotionen nützlich, die aus diesen Diskussionen nicht zu eliminieren sind. Angesichts der Komplexität, der Kompliziertheit und der Dimension von Risiken mancher Techniken können deren mögliche Folgen nicht emotionslos diskutiert werden. Das ist auch nicht nötig. Wenn die Diskussionspartner jedoch wissen, wo ihre eigenen und die ihnen fremden Emotionen herkommen, wird das zwar auch nicht zur Versachlichung, wohl aber hoffentlich zur Vermenschlichung der modernen Technikdiskussion beitragen. Zu diesem Zweck erscheint eine Aufteilung von Nationalökonomien als Sozialsysteme in drei Subsysteme angebracht.

CHARAKTERISTIKA	SUBSYSTEME IN SOZIALSYSTEMEN		
	TECHNIK UND WIRTSCHAFT	RECHT UND POLITIK	KULTUR UND RELIGION
ZIELE	VERBESSERN VON WIRKUNGS- GRADEN UND NÜTZLICH- KEITEN	VEREINBAREN VON KOMPROMISSEN ZWISCHEN INTERESSEN	VERWIRKLICHEN VON IDEALEN UND GLAUBENS- REGELN
PRINZIPIEN	EFFIZIENZ ALLER AR- BEITSEIN- SÄTZE	GLEICHHEIT ALLER MENSCHEN	ENTFALTUNG JEDER PERSÖNLICH- KEIT
MASSTÄBE	OBJEKTIVE, KARDINAL MESSBARE TECHNISCHE UND ÖKONO- MISCHE DATEN	RELATIVE, ORDINAL MESSBARE SOZIALE UND POLI- TISCHE FAKTEN	SUBJEKTIVE, NOMINAL FASSBARE KULTURELLE UND MORALI- SCHE WERTE

Ziele, Prinzipien und Maßstäbe in drei Subsystemen von Sozialsystemen in Anlehnung an Daniel Bell[3]

---

3   Die Zukunft der westlichen Welt, 1976

Für die Aufteilung von Nationalökonomien als Sozialsysteme in die drei Subsysteme "Technik und Wirtschaft", "Recht und Politik" sowie "Kultur und Religion" sind die jeweiligen gemeinsamen Ziele, die identischen Prinzipien und die gleichen geltenden Maßstäbe als charakterisierende Kriterien gewählt. Zusätzlich ist die Zusammenfassung von je zwei Lebensbereichen durch deren unabdingbare Kooperation zu begründen: Die Technik hat keinen Selbstzweck, sondern sie ist um der Wirtschaft willen da, aber keine moderne Wirtschaft kann auf die Technik verzichten. Das Recht wird durch die Politik gesetzt, aber ohne funktionsfähige Rechtsordnung ist keine politische Willensbildung möglich. Die Kultur im weitesten Sinne ist Ausdruck des religiösen oder weltanschaulichen Empfindens, aber dieses Empfinden bedarf alles dessen, was Kultur genannt wird, um sich mitzuteilen bzw. zu manifestieren.

3.1.   Allgemeine Ziele des Handelns in den drei Sphären

In den beiden Bereichen Technik und Wirtschaft gilt als gemeinsames, allgemeines Ziel das Verbessern aller Lebensumstände der Menschen. Das kooperative Bemühen im Sinne dieses Zieles hält Technik und Wirtschaft zusammen in einem Subsystem, aber es zwingt auch deren Repräsentanten zum Zusammenwirken. Das hindert nicht daran, technische Fortschritte im Zuge von Entwicklungen zur Verbesserung der menschlichen Lebensumstände nach ingeniösen und nach ökonomischen Kriterien getrennt zu beurteilen. Solche Urteile können im Ergebnis übereinstimmen, sie können aber auch sehr verschieden ausfallen; denn Verbesserungen einzelner technischer Wirkungsgrade bedeuten nicht eo ipso positive Veränderungen der ökonomischen Nützlichkeit ganzer Prozesse oder Produkte. Im Zweifel ist immer nach ökonomischen Kriterien über Richtungen und Weiten für technische Fortschritte zu entscheiden. Wie die Technik der Wirtschaft, so hat die Wirtschaft der Gesellschaft zu dienen, und wie perfekt dieser Dienst ausgeführt wird, das zeigt die Anzahl der Käufe und Verkäufe auf funktionierenden Märkten, bei denen beide Geschäftspartner nachhaltig zufrieden sind.

In den beiden Bereichen Recht und Politik darf es unter keinen Umständen Käuflichkeit und Verkäuflichkeit geben. Hier sind als Ziele Kompromisse anzustreben, die zwischen den Repräsentanten der verschiedenen legalen Interessen in einer pluralistischen Gesellschaft zu vereinbaren sind. Solche Interessen können im Zeitablauf relativ konstant bleiben, sie können sich aber auch mehr oder weniger schnell ändern. Gleiches gilt für die Größe und für die Zusammensetzung der Gruppen, deren Interessen in Einklang miteinander zu bringen sind. Viele Änderungen der materiellen und der immateriellen Interessen und ebenso viele Änderungen der Art und der Größe von Interessengruppen sind verursacht von Änderungen im Subsystem Technik und Wirtschaft; vor allem von technischen Fortschritten. Von daher kommen dann Anstöße zu politischem Handeln, das schließlich in neuen oder modifizierten Rechtsnormen seinen Niederschlag findet. Der Anteil der techno-ökonomisch relevanten rechtswirksamen Bestimmungen – dazu gehören u.a. das Gesellschaftsrecht, das Arbeitsrecht, das Patentrecht, das Umweltschutzrecht, das Wettbewerbsrecht, das Steuerrecht und vieles andere mehr – umfaßt in Industriegesellschaften mehr als die Hälfte aller kodifizierten Normen.

In den beiden Bereichen Kultur und Religion – zusammengefaßt im dritten der Subsysteme einer Nationalökonomie als Sozialsystem – ist das allgemeine Ziel, daß jeder nach seiner Façon seelig werden kann. Darin ist eingeschlossen, daß jeder einzelne seine ihm zusagende Facon finden darf, z.B. als Künstler oder als Kunstsammler, als mehr oder weniger offener Bekenner zu einer Religion oder als Sektierer. Wo eine der fünf Weltreligionen totalitär wird oder von irgendeiner Weltanschauung – sei es von rechts oder von links – verdrängt ist, da ist in aller Regel die Toleranz im Kulturbereich aufgehoben. Das geht bis zur Kleidung der Menschen als Ausdruck ihrer Linientreue, wenn etwa Militärstiefel von Männern zum Zivilanzug, oder Schleier von Frauen im Alltag als Zeichen ihrer Kultur getragen werden. Andererseits lassen kulturelle Strömungen, z.B. im Bereich der bildenden Künste oder in der Literatur, Rückschlüsse auf Veränderungen in religiösen oder weltanschaulichen Auffassungen zu.

3.2. Generelle Aktionsprinzipien in den drei Sphären

In den beiden Bereichen Technik und Wirtschaft gilt das Prinzip der Effizienz aller Arbeitseinsätze gleichermaßen als oberstes Agens für technologische und für technische Fortschritte. "Die Technik ist die Anstrengung, Anstrengungen zu vermeiden" (Ortega y Gasset), und die Ökonomie regelt, zu welchem Zweck und mit welchen Mitteln dies nach den Wünschen der Gesamtwirtschaft geschieht. Dabei steht die Entlastung der Menschen von Anstrengungen im Vordergrund, die als besonders unangenehm empfunden werden – sei es körperlich, geistig oder seelisch. Aber solche Belastungen werden von verschiedenen Menschen sehr unterschiedlich empfunden, so daß mit techno-ökonomischen Entwicklungen zur Arbeitsentlastung nicht jeder, der davon betroffen ist, zufrieden sein kann. Andererseits kann den Kräften des Marktes, wie die Wirtschaftsgeschichte lehrt, zum Ausgleich von Arbeitsangeboten und Arbeitsnachfragen durch individuelle Preisabsprachen offenbar nicht vertraut werden. Deshalb kommt es zu politischen Prozessen, in deren Verlauf Arbeitszeiten, Arbeitsbedingungen und Arbeitsentgelte abgesprochen werden.

Finden von vereinbarungsfähigen Kompromissen zwischen legalen Interessen ist die allgemeine Zielsetzung im Subsystem Recht und Politik und dabei gilt als generelles Aktionsprinzip die Gleichheit aller Menschen. Dieses Prinzip hat im techno-ökonomischen Subsystem keine Bedeutung, denn in einer Ökonomie müssen Menschen mit sehr verschiedenen körperlichen, geistigen und seelischen Qualitäten, Alte und Junge, Männer und Frauen die zu ihnen passenden Rollen spielen können. Kaum eine Rolle ist für die Wirtschaft so wichtig wie die der Hausfrauen, von denen die allermeisten Kaufentscheidungen getroffen werden, und kaum eine Rolle ist so individuell besetzt. Damit vergleichbar ist allenfalls die Rolle der Inhaberunternehmer und angestellten Unternehmensleiter – jedenfalls in Nationalökonomien, die marktwirtschaftlich organisiert sind. Hausfrauen und Unternehmern ist auch gemeinsam, daß sie über die Entgelte für ihre persönlichen Leistungen weitgehend selbst entscheiden und dabei – jedenfalls in guten Familien und Firmen – zurückhaltender sind als der sozio-ökonomischen Bedeutung dieser Leistungen angemessen. Das ist nahezu umgekehrt, wenn Löhne für große Gruppen von Arbeitnehmern "politisch ausgehandelt" werden.

Im Subsystem Kultur und Religion gilt, daß sich jede Persönlichkeit entfalten kann, soweit dies nicht mit gesetzlichen Regeln zum Schutz aller anderen Personen kollidiert. Auch dieses Prinzip kann im techno-ökonomischen Subsystem einer Volkswirtschaft nur sehr bedingt realisiert werden. Im Bereich des Kunstgewerbes und in Einmann-Unternehmen mag die Selbstverwirklichung bei der Produktion vom Markt honoriert werden. Arbeitsteilige industrielle Prozesse können schon dann nicht mehr funktionieren, wenn einzelne sich ohne Rücksicht auf ihre Kollegen selbstverwirklichen wollen.

Das Bemühen, in Großunternehmen durch Bilden von kleinen Produktionszentren der Arbeitsentfremdung entgegenzuwirken, ist bisher nicht sehr erfolgreich. Ein Zweck solcher Maßnahmen, von denen vor allem aus Schweden berichtet wird, ist u.a. die Reduktion von Fertigungsstörungen durch alkoholisierte Mitarbeiter am Wochenanfang. In Fertigungsgruppen, die aus wenigen

Personen bestehen, von denen jeder auf jeden und einer auf alle angewiesen ist, wirkt die Erziehung im Kollektiv nun mal besser als in Großgruppen, deren Mitglieder sich kaum oder gar nicht kennen.

3.3. Anerkannte Maßstäbe für Zielvorgaben und Erfolgsausweise

Die im Rahmen der allgemeinen Zweckorientierung in den drei Subsystemen einer Nationalökonomie vorzugebenden Einzelziele und ebenso die Ausweise darüber, welche Erfolge durch Realisation der jeweils geltenden generellen Aktionsprinzipien erreicht werden, sind sehr verschieden konkret. Das ist für alle Diskussionen über technische Fortschritte und über deren Folgen äußerst wichtig; zumal wenn dazu – wie üblich – Repräsentanten aus "Technik und Wirtschaft" mit Repräsentanten aus "Recht und Politik" und beide mit Repräsentanten des Sektors "Kultur und Religion" zusammenkommen. Jeder dieser Repräsentanten sollte wissen – von sich selbst und von seinen Gesprächspartnern -, daß die besondere Art des Erkennens und des Beschreibens von Phänomenen sowie des Urteilens darüber stark geprägt ist von den Möglichkeiten, sich präzise auszudrücken. Dies berücksichtigen auch die Curricula zur Denkschulung in den verschiedenen Universitätsdisziplinen, wo die Mathematik als Formalwissenschaft für Ingenieure und Ökonomen einen viel höheren Stellenwert hat als für Juristen und Politologen oder für Kulturwissenschaftler und Theologen.

Im techno-ökonomischen Subsystem können die Ziele für technische Fortschritte mit objektiven, kardinal meßbaren Daten eindeutig definiert und so für die Forschung und Entwicklung als Projekte konkretisiert werden. Die Reduktion von Schadstoffen einer ganz bestimmten Art wird z.B. mit Gewichtseinheiten pro Raumeinheit Rauchgas exakt vorgegeben. Dazu ist außerdem präzisiert, bis zu welcher Höhe spezifische Minderungskosten anfallen dürfen. All das wird mit mehr oder weniger Zahlen in technischen und ökonomischen Dimensionen ausgedrückt und ist deshalb mit Formeln und Dimensionskontrollen von jedem Fachmann leicht auf seine logische Konsistenz zu prüfen. Ebenso sind die FuE-Resultate im Labortest oder in Großversuchen und schließlich mit Innovationskalkulationen darzulegen. Man kann dann über die eine oder andere Zahl diskutieren, z.B. über den erforderlichen Energieeinsatz zur Rauchgasreinigung oder über Beschaffungs- und Absatzpreisgrenzen, aber solche Daten müssen objektiv zu begründen sein.

Im Subsystem Recht und Politik gelten andere Maßstäbe. Das können keine so objektiv mit Zahlen und Dimensionen meßbaren Daten sein wie im techno-ökonomischen Subsystem; aber das dürfen auch nicht nur subjektive, lediglich nominal faßbare kulturelle und religiöse oder moralische Werte sein. Die Koordinationsfunktionen des Rechts und der Politik im Zentrum einer Nationalökonomie als soziales System kommen darin zum Ausdruck. Wie die gewollten sozialen und politischen Verhältnisse beschaffen sein sollen, und welchen metaökonomischen Werten unter diesen Umständen welcher Rang zukommt, muß von der Legislative für die Exekutive so eindeutig wie möglich vorgegeben werden. Diesem Zweck dienen vor allem Verhältniszahlen, die durch Kürzen dimensionslos sind, deren Sinnhaftigkeit sich im übrigen aber in erster Linie daraus herleitet, daß sie für politische Prozesse von den Beteiligten momentan akzeptiert werden. Das gilt cum grano salis auch für Rechtsstreite, in denen die Gerichte über Tatbestände entscheiden müssen, zu deren Beschreiben nur Ordinalzahlen beigezogen werden können. Die gleichen Fakten können auf anderen Ordinalskalen, unter Umständen sogar für ganz ähnliche Faktenkategorien einen weit abweichenden Rangplatz haben.

Extrem verschieden von den Maßstäben, mit denen im techno-ökonomischen Subsystem zu operieren und zu kontrollieren ist, sind die kulturellen und moralischen Werte. Für deren "Höhe" sowie für die Verhältnisse, in denen solche Werte zueinander stehen, sich wechselseitig beeinflussen und sich gemeinsam oder unabhängig voneinander verändern, sind vor allem menschliche Empfindungen maßgebend.

Darin kommen mentale, ästhetische und psychische Regungen der Menschen zur Wirkung, deren Ursprung in vielen Fällen dem einzelnen nicht bewußt wird. Dementsprechend ist die Verbreitung identischer Empfindungen kaum zu erfassen. Von den Kulturhistorikern werden für die Zeit von Beginn der Menschheitsgeschichte an bis heute auf unserer Erde rund 100 Kulturen identifiziert. Kulturen erblühen und Kulturen vergehen ebenso wie der Einfluß von Religionen auf die sittlichen und moralischen Empfindungen im Zeitverlauf verschieden ist. Der Wertewandel ist ein Phänomen zu allen Zeiten, so auch in unserer Zeit. Davon hat auch jedermann subjektive Eindrücke, aber diese lassen sich nur nominal quantifizieren. So spricht man von hoher und von niedriger Moral oder von großem und kleinem Pflichtgefühl oder von Engherzigkeit und Weitherzigkeit oder von starken und schwachen menschlichen Bindungen oder dergleichen. All das sind metaökonomische Werte; so genannt, weil sie sich nicht in Geld ausdrücken, also nicht ökonomisch erfassen lassen. Und alle diese nominal quantifizierenden Urteile über Werte sind Werturteile, weil sich niemand wertfrei über metaökonomische Werte äußern kann. Das ändert aber nichts daran, daß diese Werte aus dem Subsystem Kultur und Religion in die beiden anderen Subsysteme jeder Nationalökonomie, Recht und Politik sowie Technik und Wirtschaft, hineinwirken. Das kommt auch im modernen Sprachgebrauch zum Ausdruck, wenn von Rechtskultur oder von Unternehmenskultur die Rede ist.

Optimistische Schlußbemerkung: Verantwortung für technische Fortschritte und Innovationsklima in den Nationalökonomien

Die Bedeutung des Innovationsklimas in einer Nationalökonomie für deren Fähigkeit, die Gesellschaft zufriedenstellend mit materiellen und immateriellen Gütern zu versorgen, wird zunehmend erkannt.

Das gilt für alle Regionen der Weltwirtschaft gleichermaßen, also für den politischen Osten ebenso wie für den politischen Westen und für den ökonomischen Norden ebenso wie für den ökonomischen Süden. Überall wird auch gesehen, daß das Innovationsklima von der jeweils geltenden Wirtschaftsverfassung und noch mehr von deren Praktizieren maßgebend beeinflußt wird. Dafür ist entscheidend, wie stark Recht und Politik auf Technik und Wirtschaft einwirken, um den metaökonomischen Werten Geltung zu verschaffen. Dies hängt nun seinerseits letztlich davon ab, in welchem Maße sich die Akteure im Wirtschaftsleben als Konsumenten und Produzenten, als Arbeiter und Kapitalgeber, als Unternehmer und Funktionäre an die geltenden metaökonomischen Werte gebunden fühlen. Bei diesen sog. metaökonomischen Werten, die gleichwohl für jede Volkswirtschaft existenziell sind, handelt es sich primär um tradierte Tugenden wie Fleiß und Pflichtbewußtsein, Ehrlichkeit und Vertragstreue, Verantwortungsgefühl und Fürsorge. Keine dieser alten Tugenden hat an Bedeutung verloren; im Gegenteil: Mit zunehmender Erkenntnis naturwissenschaftlicher Gesetze und mit weiteren ingeniösen Möglichkeiten, diese Gesetze ökonomisch zu nutzen, sowie schließlich mit fortschreitender Integration aller Nationalökonomien in die Globalökonomie müssen zu den alten neue Tugenden hinzukommen, z.B. Ehrfurcht vor der natürlichen Umwelt, Verantwortung für die nachfolgenden Generationen und Fürsorge für die Menschen in der Dritten Welt.

Je allgemeiner der Konsens über die geltenden metaökonomischen Werte, und je weniger umstritten die Bindung an diese Werte unter den Akteuren im Wirtschaftsleben ist, desto größer kann die Freiheit zum ökonomischen Handeln für diese Akteure sein. Beide – Freiheit und Bindung – sind ordinal zu quantifizieren und nach ihrer wechselseitigen Abhängigkeit zu positionieren. Dabei entsteht folgendes Raster mit vier Feldern zur Charakterisierung von Wirtschaftssystemen. Die Größe der eingezeichneten Kreise symbolisiert deren Innovationsfähigkeit im Zivilsektor.

FREIHEIT DER
AKTEURE IM WIRTSCHAFTSLEBEN
ZUM ÖKONOMISCHEN HANDELN

		EINGESCHRÄNKT	WEITGEHEND
BINDUNG DER AKTEURE IM WIRTSCHAFTSLEBEN AN METAÖKONO- MISCHE WERTE	STARK	ILLUSIONS- ⊗ ÖKONOMIEN	DEZENTRALE ( ) MARKTWIRTSCHAFTEN
	GERING	ZENTRALE ◯ PLANWIRTSCHAFTEN	KORRUPTIONS- ⊗ ÖKONOMIEN

Vierfelder-Raster zur Charakteristik von Wirtschaftssystemen nach Freiheit und Bindung der Akteure[4]

---

4   Angeregt durch Amita-Etzioni, Elemente einer Makrosoziologie, in W. Zapf (Hrsg.), Theorien des sozialen Wandels, 4. Aufl. 1979

Die Bezeichnungen "Illusionsökonomien" und "Korruptionsökonomien" sind ebenso generalisierend wie alle anderen Klassifikationen von praktizierten Wirtschaftssystemen. Volkswirtschaften, in denen sich alle Akteure irgendwelchen Illusionen hingeben, können ebenso wenig existieren wie Volkswirtschaften, in denen alle korrupt sind; denn hier wie dort wäre das Innovationsklima katastrophal. Auch soll die vorgenommene Klassifikation nicht den Eindruck vermitteln, daß Illusionen und Korruption in dezentralen Marktwirtschaften und in zentralen Planwirtschaften keine Rolle spielen. Als wichtig für unser Thema soll die vorstehende Matrix erkennbar machen, daß Illusionen und Korruption das jeweils herrschende Innovationsklima in den praktizierten Wirtschaftsordnungen negativ beeinflussen. Weitgehende Freiheit zum Handeln nach dem ökonomischen Prinzip bei nur geringer Bindung an metaökonomische Werte (r.u.) sind dem Innovationsklima offensichtlich ebenso abträglich wie eingeschränkte Freiheiten für die Akteure im Wirtschaftsleben auf Grund freiwilliger oder erzwungener starker Bindungen an metaökonomische Werte (l.o.).

Das gegenwärtige Bemühen um Reformen der zentralen Planwirtschaften mit dem erklärten Ziel, das Innovationsklima in ihrem Zivilsektor zu verbessern, berechtigen zum Optimismus hinsichtlich der Entwicklung zu einer Globalökonomie, die den realen Fakten bei der Verwirklichung unabdingbarer politischer Programme Rechnung trägt. Zu diesem Optimismus berechtigen ebenso die Bewegungen in den dezentralen Marktwirtschaften, wo die Bedeutung des Innovationsklimas für eine humane und umweltfreundliche Wirtschaft, m.a.W. die Bedeutung der metaökonomischen Werte von den Akteuren im Wirtschaftsleben zunehmend erkannt und anerkannt wird.

Risikowahrnehmung –
Psychologische Determinanten bei der intuitiven Erfassung und Bewertung von technischen Risiken

von

Ortwin Renn

1. Einleitung

Die Frage nach der Verantwortbarkeit technischer Gefahrenquellen ist zu einem erbitterten Glaubenskrieg in unserer Gesellschaft geworden. Auf der einen Seite führen die Befürworter einer forcierten technischen Entwicklung die enormen wirtschaftlichen Leistungen auf, die mit Hilfe der Technik errungen worden sind, auf der anderen Seite warnen die Skeptiker vor den drohenden Gefahren einer sich ausbreitenden Technikkultur, die bewußt die Möglichkeit globaler Katastrophen als Preis für einen fragwürdigen Konsumstandard in Kauf nimmt. Die Mehrheit der Bevölkerung in der Bundesrepublik Deutschland ist zwischen diesen beiden Extrempositionen hin und her gerissen. Wie Umfragen verdeutlichen, nimmt die Mehrheit der Bevölkerung Technik immer noch mehr als Segen denn als Fluch wahr, aber die Zahl derjenigen steigt, die das Janus-Gesicht der Technik erkennen und dementsprechend die Folgen des technischen Wandels als ambivalent und die damit verbundenen Risiken häufig als unakzeptabel einstufen (Renn 1986, S.44).

In den folgenden Ausführungen geht es nicht um die Frage nach der ethischen oder politischen Verantwortbarkeit von Technik und Risiko (hier seien auf die Analysen des Autors von 1980 und 1985a verwiesen), sondern um die Frage nach der Verarbeitung dieses Konfliktes in der Wahrnehmung der Bevölkerung. Wahrnehmungen sind eine Realität eigener Natur: So wie in Zeichentrickfilmen die gemalten Figuren erst dann in den Abgrund stürzen, wenn sie mitten in der Luft stehend plötzlich der Gefahr gewahr werden, so konstruieren auch Menschen ihre eigene Realität und stufen Risiken nach ihrer subjektiven Wahrnehmung ein. Diese Form der intuitiven Risikowahrnehmung basiert auf der Vermittlung von Informationen über die Gefahrenquelle, den psychischen Verarbeitungsmechanismen von Unsicherheit und früheren Erfahrungen mit Gefahren. Das Ergebnis dieses mentalen Prozesses ist das wahrgenommene Risiko, also ein Bündel von Vorstellungen, die sich Menschen aufgrund der ihnen verfügbaren Informationen und des gesunden Menschenverstandes über Gefahrenquellen machen.

Das Verhältnis von konstruierter Wirklichkeit und objektiver Realität ist komplex: Völlig irrige Vorstellungen können sich auf Dauer gegenüber dem Test der Erfahrung nicht behaupten, obwohl die menschliche Psyche über ausreichende Instrumente zur Verneinung oder Umdeutung realer Erfahrung verfügt. Gleichzeitig können Vorstellungen Realitäten schaffen. An sich falsche Prognosen können eintreffen, wenn sich die von dieser Prognose betroffenen Menschen nach ihr richten (selbst-erfüllende Prophezeiungen). Schließlich sind alle unsere Erkenntnisse von unseren biologischen Sinnesorganen (bzw. deren maschinellen Substituten) oder von Denk- und Schließverfahren in unserem Gehirn abhängig. So sehr wir uns auch bemühen, durch wissenschaftliche Methodologie intersubjektive Kriterien der objektiven Erkenntnis zu entwickeln, so sehr zeigt uns die Geschichte der Wissenschaften, daß Fehlurteile und Wahrnehmungsverzerrungen auch in diesem Bereich auftreten und oft zu folgenschweren Fehlentscheidungen geführt haben (Kuhn 1967).

Das Augenmerk dieses Aufsatzes liegt also auf der Ebene der konstruierten Realität, d.h. der Welt der Vorstellungen und Assoziationen, mit deren Hilfe Menschen ihre Umwelt begreifen und auf deren Basis sie ihre Handlungen ausführen. Die Tatsache, daß soziales Handeln nicht durch objektive Gegebenheiten, sondern durch die subjektive Wahrnehmung dieser Gegebenheiten motiviert wird, macht die Bedeutung der Wahrnehmungsforschung aus. Wenn wir menschliches Handeln, sei es Apathie, Protest oder Loyalität, verstehen und erklären wollen, bleibt es uns nicht erspart, uns mit der Innenwelt menschlicher Urteilsbildung zu beschäftigen. Wie kommen Menschen zu Urteilen über technische Gefahrenquellen und nach welchen Regeln bewerten sie deren Akzeptabilität?

2. Zur Semantik des Risikobegriffes

2.1 Risiko im Alltag

Risiko hat viele Bedeutungen: In Technik und Versicherungswissenschaften wird der Begriff gemeinhin als Produkt von Wahrscheinlichkeit und erwartetem Schadenausmaß definiert. Andere Definitionen aus der Entscheidungsforschung und der Ökonomie rekurrieren eher auf die Wahrscheinlichkeitsverteilung oder deren Varianz von subjektiven Nutzwerten (Vlek und Stallen 1981; Brehmer 1987; Jungermann und Slovic, in Vorbereitung). Fast alle Begriffsbestimmungen beruhen auf einer Verbindung der beiden Komponenten: Unsicherheit und Konsequenzen. Dabei können Konsequenzen sich als Resultat einer Handlungsoption (etwa die zu erwartenden Folgen einer politischen Entscheidung zwischen einem Kernkraftwerk und einem Kohlekraftwerk) oder als Attribut eines Ereignisses (Wahrscheinlichkeit eines Störfalls, der zum Kernschmelzen führt) ergeben (Tack 1988). Dieser Mehrdeutigkeit des Begriffes in unterschiedlichen wissenschaftlichen Disziplinen steht eine noch größere Vielzahl von Bedeutungen im Alltagsgebrauch des Risikobegriffs gegenüber.

Leider fehlt es bis heute an empirischen Untersuchungen zur Bedeutung des Risikobegriffes im Alltagsleben. Die meisten psychologischen Untersuchungen in diesem Bereich beschäftigen sich entweder mit der Bedeutung von Risiko-Attributen, wie Freiwilligkeit, Schrecklichkeit der Folgen oder persönliche Kontrollmöglichkeit (Fischhoff u.a. 1978; Slovic 1987; Renn 1984), oder mit Risiko-Taxonomien, die auf wahrgenommene Ähnlichkeiten zwischen verschiedenen Risikoquellen oder Risikosituationen abzielen (Johnson und Tversky 1983; Perusse 1980; Earle und Lindell 1984). Aufgrund meiner eigenen Untersuchung zur Risikowahrnehmung (Renn 1984, Renn und Swaton 1984, Renn 1986) lassen sich indirekte Rückschlüsse auf den Gebrauch des Risikobegriffes im Zusammenhang mit technischen Systemen ziehen. Folgende Vorstellungsmuster prägen den Bedeutungsumfang von Risiko:

- Risiko als Damoklesschwert
- Risiko als Schicksalsschlag
- Risiko als Herausforderung der eigenen Kräfte
- Risiko als Glücksspiel und
- Risiko als Frühindikator für Gefahren

Wie beeinflussen diese unterschiedlichen Risikoverständnisse das Denken und Bewerten von riskanten Situationen und Objekten? Welche Typen von Situationen und Objekten sind den verschiedenen Risikomustern zugeordnet?

2.2 Risiko als Damokles-Schwert

Große Störfälle verbunden mit dem Ausfall von Sicherheitssystemen können bei vielen technischen Systemen, vor allem Großtechnologien, katastrophale Auswirkungen auf Mensch und Umwelt auslösen. Die technische Sicherheitsphilosophie zielt meist auf eine Verringerung der Wahrscheinlichkeit eines solchen Versagens ab, so daß das Produkt aus Wahrscheinlichkeit und Ausmaß denkbar klein wird. Die stochastische Natur eines solchen Ereignisses macht aber eine Voraussage über den Zeitpunkt des Eintritts unmöglich. Folglich kann das Ereignis in der Theorie zu jedem Zeitpunkt eintreten, wenn auch mit jeweils extrem geringer Wahrscheinlichkeit. Wenn wir uns jedoch im Bereich der Wahrnehmung von seltenen Zufallsereignissen befinden, spielt die Wahrscheinlichkeit eine geringe Rolle: die Zufälligkeit des Ereignisses ist der eigentliche Risikofaktor.

Die Vorstellung, das Ereignis könne zu jedem beliebigen Zeitpunkt die betroffene Bevölkerung treffen, erzeugt das Gefühl von Bedrohtheit und Machtlosigkeit. Instinktiv können wir mental (ob real mag hier dahin gestellt bleiben) besser mit Gefahren fertig werden, wenn wir darauf vorbereitet und darauf eingestellt sind. Ebenso wie wir uns in der Nacht mehr fürchten als am Tage (obwohl das objektive Risiko, über Tag zu Schaden zu kommen, wesentlich höher ist als während der Nacht, wir aber in der Nacht leichter von möglichen Gefahren überrascht werden), so fühlen wir uns mehr von potentiellen Gefahren bedroht, die uns unerwartet und unvorbereitet treffen, als von Gefahren, die entweder regelmäßig auftreten oder die genügend Zeit zwischen auslösendem Ereignis und möglicher Gefahrenabwehr erlauben. Somit ist das Ausmaß des Risikos in dem hier vorliegenden Verständnis eine Funktion von drei Faktoren: der Zufälligkeit des Ereignisses, des erwarteten maximalen Schadensausmaßes und der Zeitspanne zur Schadensabwehr. Die Seltenheit des Ereignisses, also der statistische Erfahrungswert, ist dagegen unerheblich. Im Gegenteil: häufig auftretende Ereignisse signalisieren eher eine kontinuierliche Folge von Schadensfällen, auf die man sich im "trial and error" Verfahren einstellen und vorbereiten kann.

Dieses Verständnis von Risiko bestimmt häufig die Bewertung technischer Risiken, aber findet nur wenig Anwendung in der Bewertung naturgegebener Katastrophen. Erdbeben, Überflutungen oder Wirbelstürme folgen den gleichen Bestimmungsgrößen wie Großtechnologien, d.h. sie treten relativ selten nach dem Prinzip des Zufalls auf und erlauben meist nur wenig Zeit zur Gefahrenabwehr, sie werden jedoch mit einem anderen, im folgenden beschriebenen Risiko-konzept bewertet.

2.3   Risiko als Schicksalsschlag

Natürliche Katastrophen werden meist als unabwendbare Ereignisse angesehen, die zwar verheerende Auswirkungen nach sich ziehen, die aber als "Launen der Natur" oder als "Ratschluß Gottes" (in vielen Fällen auch als mythologische Strafe Gottes für kollektiv sündiges Verhalten) angesehen werden und damit dem menschlichen Zugriff entzogen sind. Die technischen Möglichkeiten, auch Naturkatastrophen zu beeinflussen und deren Auswirkungen zu mildern, haben sich noch nicht so weit in das Bewußtsein der meisten Menschen eingeprägt, daß natürliche Katastrophen eine gleiche Bewertung des damit verbundenen Risikos erhalten wie technische Unfälle.

Ein einfaches Fallbeispiel mag diese Diskrepanz deutlich machen (Sand-mann u.a. 1987). Vergeblich suchte das Landesministerium für Umwelt des US Bundesstaates New Jersey die Einwohner des kleinen Ortes Vernon auf die dro-henden Gesundheitsgefahren durch natürliches Radon, das durch die Keller in die Häuser eindringt, aufmerksam zu machen und sie zu Gegenmaßnahmen an-zuregen. Die Bewohner zeigten nicht das geringste Interesse für diese Gefahr. Ein pfiffiger Unternehmer, der Probleme hatte, seinen radon-haltigen Abfall loszuwerden, versuchte Kapital aus dieser Situation zu schlagen und reichte einen Genehmigungsantrag zur Errichtung einer Deponie für Radon-haltige Abfälle in Vernon ein. Die Bewohner von Vernon reagierten mit erstaunlicher Härte: Demonstrationen und Bauplatzbesetzungen waren an der Tagesordnung, und schließlich mußte der Plan wegen anhaltender Proteste aufgegeben werden. Obwohl der industrielle Abfall nach Expertenberechnungen nur ein Promill des Krebsrisikos der natürlichen Strahlenbelastung in diesem Ort ausmachte, zeigte sich die Bevölkerung empört. Ausgerechnet ihnen, die ohnehin mit einer hohen natürlichen Belastung leben müßten, würde auch noch eine zusätzliche Strahlen-belastung zugemutet. Das Denkschema war deutlich: natürliche Belastungen und Risiken werden als vorgegebene, quasi unabdingbare Schicksalsschläge betrach-tet, während technische Risiken als Konsequenzen von Entscheidungen und Handlungen angesehen werden. Diese Handlungen müssen nach anderen Maß-stäben bewertet und legitimiert werden.

Schicksalsschläge können höchstens mythologisch oder religiös gerechtfertigt werden. Wenn niemand außer Gott zur Verantwortung gezogen werden kann, läßt sich auch durch menschliches Handeln keine Besserung der Situation herbeiführen. Als Alternativen verbleiben nur noch Flucht oder Verdrängung der gefährlichen Situation. Je seltener das Ereignis, desto eher wird die reale Gefahr verneint oder verdrängt; je häufiger das Ereignis, desto eher ist Rückzug aus der Gefahrenzone die Folge. Insofern ist es verständlich, wenn auch nicht unbedingt rational, wenn Menschen in Erdbeben- oder Überflutungs-Gebieten siedeln und häufig nach eingetretener Katastrophe in diese Gebiete zurückkehren. Im Gegensatz zur Situation des Damokles-Schwerts ist die Zufälligkeit des Ereignisses nicht der Angst-auslösende Faktor (weil Zufall hier Schicksal und nicht unvorhersehbare Verstrickung durch menschliches Fehlverhalten beinhaltet). Im Gegenteil, die relative Seltenheit des Ereignisses ist ein psychischer Verstärker für die Verneinung der Gefahr.

2.4   Risiko als Herausforderung der eigenen Kräfte

Wenn H. Meßmer ohne Atemgerät die höchsten Berge der Welt bezwingt, obwohl das Risiko, dabei zu Schaden zu kommen, beachtlich ist, wenn Autofahrer wesentlich schneller fahren, als es die Polizei erlaubt, wenn Menschen sich mit Plastikflügeln in den Abgrund stürzen und das als Sport bezeichnen, dann erfahren wir eine weitere Bedeutung des Risikobegriffes. Bei diesen Freizeitaktivitäten wird nicht, wie vielfach behauptet, das Risiko in Kauf genommen, um einen angenehmen Nutzen zu haben (etwa Wind um die Ohren oder schöne Aussicht), sondern das Risiko ist der Nutzen: die Aktivitäten gewinnen ihren Reiz gerade dadurch, daß sie mit Risiken verbunden sind.

In all diesen Fällen gehen Menschen Risiken ein, um ihre eigenen Kräfte herauszufordern und den Triumpf eines gewonnenen Kampfes gegen Naturkräfte oder andere Risikofaktoren auszukosten. Sich über Natur oder Mitkonkurrenten hinwegzusetzen und durch eigenes Verhalten selbst geschaffene Gefahrenlagen zu meistern, ist der wesentliche Ansporn zum Mitmachen. Möglicherweise bietet unsere "Absicherungsgesellschaft" zu wenig riskante Herausforderungen, so daß – möglicherweise instinktiv verankerte – Bedürfnisse nach Abenteuer und Risiko unbefriedigt bleiben. So werden künstliche Situationen geschaffen, die ein kalkulierbares und durch persönlichen Einsatz beherrschbares

Risiko schaffen, dem man sich freiwillig aussetzt. Risiko als Herausforderung ist an eine Reihe von situationsspezifischen Attributen gebunden:

- Freiwilligkeit
- persönliche Kontrollierbarkeit und Beeinflußbarkeit des Risikos,
- zeitliche Begrenzung der Risikosituation,
- die Fähigkeit, sich auf die riskante Tätigkeit vorzubereiten und entsprechende Fertigkeiten einzuüben und
- soziale Anerkennung, die mit der Beherrschung des Risikos verbunden ist.

Niemand käme auf die Idee, seine Abenteuerferien am Zaun eines Kernkraftwerkes zu verbringen, um sich am leicht erhöhten Strahlenrisiko zu berauschen. Der Rausch einer rasanten Ski-abfahrt oder selbst das persönliche Experimentieren mit gefährlichen Stoffen verschafft dagegen die Befriedigung, eine konkrete Gefahrensituation erfolgreich gemeistert zu haben.

Risiko als Herausforderung ist eine so dominante Handlungsmotivation, daß Gesellschaften symbolische Gefahrensituationen in Form von Sportaktivitäten, Gesellschaftsspielen, Spekulantentum, Geldgeschäften und politischen Spielregeln des Machterwerbs entwickelt haben, um das "Prickeln" bei der Beherrschung von Gefahren zu kanalisieren und die möglichen negativen Konsequenzen durch symbolische Bestrafungen zu ersetzen. Im Video-Spiel wird der Autounfall simuliert, ohne daß die wirklich tragischen Folgen den Fahrer real treffen. Im Kriminalroman setzt man sich der prickelnden Spannung einer Mordsituation aus, ohne selbst Gefahr zu laufen, zum Opfer zu werden. Im Fußball ist ein Gegner besiegt, wenn ein Lederball häufiger im gegnerischen Tor landet als im eigenen. Sogar im Wirtschaftsleben geht es nur noch selten um die nackte Existenz. Das Spekulieren an der Börse ist ein Spiel für Eingeweihte: diejenigen, die nur ihr Geld anlegen wollen, überlassen diesen Spaß den Profis in den Maklerfirmen oder – wie in der Bundesrepublik – den Banken.

Interessant am Rande ist dabei die Beobachtung, daß mit der symbolischen Kanalisierung des Risikorausches auch eine symbolische Vorwegnahme realer Gefahren durch Computersimulationen und hypothetische Risikoberechnungen einhergeht (Häfele und Renn, in Vorbereitung). Versuch und Irrtum als Mittel zur Selektion von Technik, sozialen Reformen und individueller Befriedigung ist in einer auf die Erhaltung des Individuums fixierten Gesellschaft nicht mehr zu rechtfertigen. Anstelle des – immer Schaden erzeugenden – Irrtums tritt die symbolische Antizipation des Schadens: Abenteuerurlaub darf nur die Illusion der Gefahr vermitteln, aber wehe, wenn einer wirklich zu Schaden kommt; technische Systeme müssen so angelegt sein, daß sie auch bei Versagen niemanden schädigen können (das Lernen an realen Fehlern wird durch Computersimulation von hypothetischen Schadensabläufen ersetzt), und geplante soziale Veränderungen bedürfen einer wissenschaftlichen Folgenabschätzung, inklusiv Kompensationsstrategien für potentielle Geschädigte, bevor eine Reform in Kraft treten kann. Das zunehmende Erlebnis eines nur symbolischen Schadens schafft natürlich auch neue Erwartungshorizonte gegenüber technischen Systemen. Je mehr der Risikorausch von symbolischen Konsequenzen für einen selbst und mögliche Konkurrenten geprägt ist, desto eher erwartet man auch von den technischen Risikoquellen nur symbolische Konsequenzen. Der echte Schaden darf demnach niemals eintreten. Der Schock von Tschernobyl und anderer technischer Katastrophen beruhte zum großen Teil auf der Empörung, daß der Unfall nicht ein rein hypothetisches Zahlenspiel geblieben war, sondern reale Auswirkungen auf die Umgebung hatte. Die Mischung von hypothetischen Risikoberechnungen und realen Gesundheitsschäden trug wesentlich zur allgemeinen Konfusion nach Tschernobyl bei. Was jahrelang in der Perzeption von Restrisiko und Schadensablauf-simulation in die "Scheinwelt" hypothetischer Risikoberechnungen verbannt und als praktisch ausgeschlossen angesehen wurde, wurde plötzlich zur Realität, wenn auch die gesundheitlichen Konsequenzen für West-Europa wiederum nur hypothetisch erschlossen werden konnten (Renn und Häfele, in Vorbereitung).

2.5   Risiko als Glücksspiel

Das Risiko als Herausforderung, bei der die eigenen Fähigkeiten zur Risikobewältigung den Ausgang der Handlung mitbestimmen, ist nicht identisch mit dem Verständnis von Risiko in Lotterien oder Glücksspielen. Verlust oder Gewinn sind in der Regel hier unabhängig von den Fähigkeiten des Spielers. Spielen selbst kann natürlich auch einen Rausch erzeugen und zum Selbstzweck werden, aber es ist die erwartbare oder erhoffte Auszahlung, die Möglichkeit des großen Gewinns, die das berühmte "Prickeln" erzeugt und nicht der Vorgang des Spielens (im Gegensatz zu Gesellschaftsspielen, in denen Belohnung und Bestrafung nur noch symbolischen Wert haben).

Psychologen haben sich seit langem intensiv mit Risikoverhalten bei Glücksspielen befaßt. Zum einen läßt sich die Situation im Labor gut simulieren, zum anderen kann man leicht die Abweichungen vom statistischen Erwartungswert bestimmen (Dawes 1988, S.92ff). Gleich hier soll deutlich werden, daß der statistische Erwartungswert keinen Maßstab für rationales Spielverhalten abgibt. Vor die Wahl gestellt, ob sie lieber eine Mark geschenkt haben wollen oder ein Los ziehen wollen mit der 1:100 Chance, einhundert Mark zu gewinnen, entscheiden sich die meisten Menschen für die zweite Alternative. Wenn man ihnen jedoch die Wahl läßt, ob sie lieber 100 Mark geschenkt haben wollen oder ein Los ziehen wollen mit der Wahrscheinlichkeit von 1:100, 10 000 DM zu gewinnen, entscheiden sich die meisten für die erste Alternative. Die statistischen Erwartungswerte sind in beiden Fällen gleich. Den Verlust von einer Mark kann jeder leicht verschmerzen, aber auf einhundert Mark zugunsten einer geringen Gewinnchance von 10 000 DM zu verzichten, ist dagegen für die meisten Menschen wenig attraktiv.

Die Organisatoren von Glücksspielen und Preisausschreiben haben aus diesen intuitiven Präferenzen wichtige Lehren gezogen. Zunächst erhöht es die Attraktivität von Glücksspielen, die individuellen Einsätze zum Mitspielen so klein zu halten, daß sie keinen spürbaren Verlust im eigenen Haushaltsbudget hervorrufen. Lieber den Spieler zum mehrfachen Einsatz bewegen, als den Grundeinsatz zu erhöhen, ist daher eine der goldenen Regeln des Glücksspielkonzeptes. Die Höhe des optimalen Einsatz ist natürlich in Relation zum Einkommen zu sehen. Ähnlich wie beim Damokles Konzept spielt auch im Glücksspiel die Wahrscheinlichkeit des Haupttreffers eine wesentlich geringere Rolle als die Höhe der Auszahlung. Aus diesem Grunde locken die meisten Preisausschreiben mit sagenhaften Hauptgewinnen und mit einer Menge von Trostpreisen (zur Aufrechterhaltung der Motivation). Der Grund für die intuitive Geringschätzung der Wahrscheinlichkeit für einen Hauptgewinn beruht jedoch auf einer von dem Damokles-Konzept abweichenden Argumentationsebene. Während seltene technische Ereignisse auch wirklich selten eintreten, bedingt die hohe Zahl der Mitspieler bei Lotterien, daß in der Regel bei jeder Ziehung zumindest ein Mitspieler den Hauptgewinn erringt. Die Tatsache, daß es jedesmal einen Gewinner gibt, verführt zu der Vorstellung, man könne selbst der nächste sein. Die Lotteriewerbung in den USA macht sich diesen Effekt zunutze und präsentiert Gewinner, mit denen sich der Durchschnittsspieler leicht identifizieren kann (Mumpower 1987).

Häufig werden mit Glücksspielen versteckte Verteilungsideologien (etwa todsicheres Wettsystem, magische Glückszahlen oder ausgleichende Gerechtigkeit) verbunden. So glauben etwa 47% aller Amerikaner, daß es besondere Glücksnummern gibt, die bestimmten Mitspielern eine bessere Gewinnchance vermitteln (Miller 1985, Tab. 8-13). Wird das Zufallsprinzip jedoch anerkannt, dann ist das perzipierte Konzept der stochastischen Verteilung von Auszahlungen dem technischen Risikokonzept am nächsten. Nur wird dieses Konzept bei der Wahrnehmung und Bewertung technischer Risiken nicht angewandt. Im Gegenteil: Wie eine kürzlich fertiggestellte Studie in Schweden nachweist, halten es die dort untersuchten Personen geradezu für unmoralisch, eine "Glücksspielmentalität" auf technische Gefahrenquellen, bei denen Gesundheit und Leben auf dem Spiel stehen, anzuwenden (SjØberg und Winroth 1985). Auch in einer Repräsentativ-Befragung des Instituts für Demoskopie in Allensbach wiesen die meisten Befragten die Behauptung, die Entwicklung technischer Systeme sei notwendigerweise mit Risiken für Leben und Gesundheit verbunden, weit von sich. Wenn es nur um Geld geht, darf man sich aufs Glück verlassen, aber nicht wenn irreversible Schädigungen, wie Leben und Gesundheit, auf dem "Spiel" stehen.

Ebenso wie jeder aus moralischer Entrüstung eine Lotterie ablehnen würde, bei der der Verlust des Lebens als Einsatz für einen noch so hohen Gewinn gefordert wäre, so erscheint auch keine Technik akzeptabel, bei der es vom Zufall abhängt, ob jemand zu Schaden kommt oder nicht. Wiederum sei betont, daß wir uns im Reich der Wahrnehmungen bewegen, und nicht die philosophische oder technische Rationalität dieser Wahrnehmungen betrachten. Später werden wir uns noch ausführlich mit der Tragweite dieser Vorstellungen für rationale Risikopolitik beschäftigen.

Risiko als Frühindikator für drohende Gefahren

In jüngster Zeit hat sich in der öffentlichen Diskussion ein neues Anwendungsfeld des Risikobegriffes aufgetan. Mit der zunehmenden Berichterstattung über Umweltverschmutzung und deren Langzeitwirkungen auf Gesundheit, Leben und Natur haben wissenschaftliche Risikoberechnungen die Funktion von Frühzeitindikatoren erhalten.

Nach diesem Risikoverständnis helfen wissenschaftliche Studien schleichende Gefahren frühzeitig zu entdecken und Kausalbeziehungen zwischen Aktivitäten oder Ereignissen und deren latenten Wirkungen aufzudecken. Beispiele für die Verwendung dieses Risikobegriffs findet man bei der kognitiven Bewältigung von geringen Strahlendosen, Lebensmittelzusätzen, chemischen Pflanzenschutzmitteln oder genetischen Manipulationen von Pflanzen und Tieren. Die Wahrnehmung dieser Risiken ist eng mit dem Bedürfnis verknüpft, für scheinbar unerklärliche Folgen (z.B. Robbensterben, Krebserkrankungen von Kindern, Waldsterben etc.) Ursachen ausfindig zu machen. Im Gegensatz zum technisch-medizinischen Risikobegriff wird die Wahrscheinlichkeit eines solchen Ereignisses nicht als eine signifikante (d.h. nicht mehr durch Zufall erklärbare) Abweichung von der natürlich vorgegebenen Variation solcher Ereignisse interpretiert, sondern als Grad der Sicherheit, mit der ein singuläres Ereignis auf eine externe Ursache zurückgeführt werden kann.

Das Wissen um die Möglichkeit von Krebserkrankungen aufgrund ionisierender Strahlung legitimiert zumindest den Verdacht, daß jeder Krebs in der Nähe eines Kernkraftwerkes durch die emittierende Strahlung erklärt werden kann. Wer an Krebs erkrankt ist oder mitansehen muß, wie ein Mitglied der Familie oder des eigenen Freundeskreises von dieser Krankheit getroffen ist, sucht nach einer Erklärung. Metaphysische Erklärungsmuster haben in unserer säkularisierten Welt an Geltung verloren. Gleichzeitig befriedigt das nach heutigem Wissensstande bestmögliche Erklärungsmuster einer zufälligen Verteilung von Krebserkrankungen das psychische Verlangen nach einer "sinnhaften" Erklärung wenig. Wie trostlos ist es, das zufällige Opfer eines blinden Verteilungsmechanismus von Krankheit zu sein. Kennt man dagegen einen konkreten Grund, etwa Umweltbelastung, Rauchen, falsche Ernährung usw., dann macht das Auftreten der Krankheit zumindest Sinn. Kann man darüber hinaus eigenes Verschulden (etwa Rauchen oder Alkoholmißbrauch) ausschließen und Fremdverschulden als Ursache der Krankheit heranziehen, dann mag die Krankheit sogar einen sozialen Zweck erfüllen, nämlich die künftigen potentiellen Opfer zu alarmieren und gegen die Ursache des Übels anzukämpfen.

Die häufig hochemotionale Auseinandersetzung um schleichende Risiken muß aus diesem psychischen Hintergrund heraus verstanden werden. Die Befähigung des Menschen zum Mit-leiden verhilft ihm zu einer potentiellen Identifikation mit dem Opfer. Risikoanalysen, die eine bestimmte Wahrscheinlichkeit einer schleichenden Erkrankung aufgrund einer Emission nachweisen, bewirken eine Identifikation mit dem von dem Risiko betroffenen Opfer. Während der Risikoanalytiker stochastische Theorien zur Charakterisierung der relativen Gefährdung von Ereignissen benutzt, die keine kausalen Zusammenhänge zwischen singulären Auslösern und deren Effekten erlauben (und damit Distanz zum eigenen Wissensbereich schaffen), sieht der Laie in ihnen den Beweis für die schuldhafte Verstrickung gesellschaftlicher Akteure bei der Verursachung lebensbedrohender Krankheiten.

Wiederum ist der Begriff der Wahrscheinlichkeit hier Angelpunkt für die Diskrepanz zwischen intuitiver und technischer Auffassung von Risiko. Wie kann man auch jemanden plausibel machen, daß nach der Wahrscheinlichkeitsrechnung die Zahl der durch Tschernobyl verursachten Krebsopfer in Europa rund 28.000 in den nächsten 50 Jahren betragen wird, das individuelle Risiko für jeden einzelnen jedoch lediglich um 0,02 % angestiegen ist (Hohenemser und Renn 1988). Wer versteckt sich hinter diesen 28.000 Fällen, wenn jeder potentiell Betroffene doch nur einem 0,02 % angestiegenen Krebsrisiko ausgesetzt gewesen ist? Daß an diesem Beispiel (Produkt aus geringer Wahrscheinlichkeit und großer Bevölkerungszahl) auch die Grenzen der Interpretationsfähigkeit wissenschaftlich-technischer Risikoanalysen sichtbar werden, bedarf wohl keiner weiteren Erläuterung.

Die Kenntnis um schleichende Risiken hat sich ebenso wie die Bewertung von technischen Risiken mit hohem Katastrophenpotential als wesentliches Motiv für individuelles Verhalten und politisches Handeln ausgewirkt. Boykotte von Lebensmitteln, die Abkehr von industriell erzeugten Produkten, die Hinwendung zur natürlichen (aber keineswegs risikolosen) Kost, der Wunsch nach verschärften Umweltstandards sind eher Folgen der Erkenntnis von schleichenden Risiken, während politische Aktivierung in Form von Protesten, Demonstrationen, Bildung von Bürgerinitiativen und neuen politischen Bewegungen als Reaktion auf großtechnische Risiken erfolgte. Die heftigen Reaktionen der Bevölkerung auf Risiken und ihre technischen oder sozialen Manifestationen haben wesentlich die politische Kultur in den meisten Industrieländern verändert und das etablierte Muster der links-rechts Achse der Politik um eine neue Dimension bereichert.

4. Intuitive Prozesse der Risikowahrnehmung

Die semantische Bestimmung des Risikobegriffs im Alltagsleben hat uns zu der wichtigen Erkenntnis geführt, daß der universelle Geltungsanspruch des technischen Risikobegriffs als Maß für die relative Wahrscheinlichkeit von negativen Ereignissen in der Alltagssprache nicht gilt. Begriffe in der Alltagssprache sind gewöhnlich mit mehrfachen Bedeutungen besetzt, die sich für den in der Alltagssprache Kundigen mühelos aus dem Kontext ableiten lassen.

Gleichzeitig sind Begriffe der Alltagssprache weniger abstrakt, d.h. sie erfordern keinen universellen Geltungsanspruch über unterschiedliche Kontexte hinweg. Risiko beim Skifahren bedeutet etwas signifikant anderes als Risiko beim Betrieb eines Kernkraftwerkes. Obgleich es wissenschaftlich-technisch möglich und für bestimmte Zwecke auch sinnvoll sein mag, eine Begriffsbestimmung von Risiko zu wählen, die die gemeinsamen Elemente unterschiedlicher Situationen erfaßt, so wenig plausibel ist es im Alltag, vom Kontext der beiden Situationen zu abstrahieren und Gemeinsamkeiten herauszustreichen, die im Alltagsbezug keine Rolle spielen. Der Vergleich des Risikos zwischen Skifahren und Wohnen neben einem Kernkraftwerk spielt für tatsächliche Entscheidungen des einzelnen, ob er Skifahren geht oder in die Nähe eines Kernkraftwerkes zieht, absolut keine Rolle. Abstraktionen vom Kontext sind nur dann hilfreich, wenn dadurch entweder Kommunikation ermöglicht bzw. erleichtert werden kann, oder Motivatoren zur Begründung oder Änderung von Verhaltensweisen gebildet werden können.

Von daher ist die politik-leitende Funktion von Risikovergleichen mit großer Skepsis zu betrachten. Die Tatsache, daß man einerseits ein Risiko in einem Kontext akzeptiert, ja möglicherweise sogar sucht, man aber andererseits das gleiche, oder sogar niedrigere Risiko in einem anderen Kontext ablehnt, ist kein Beweis für Irrationaltität oder inkonsistentes Verhalten. Nicht nur variiert der mögliche Nutzen von einer Situation zur anderen, auch die jeweiligen Begleitumstände des Risikos machen es durchaus sinnvoll, unterschiedliche Standards der Bewertung heranzuziehen. Die psychologische Forschung hat in den letzten beiden Jahrzehnten mit Hilfe psychometrischer Verfahren versucht, die Bedeutung von Begleitumständen von Risiken für die Bewertung der jeweiligen Risiken auszuloten. Dabei sind eine Reihe von interessanten Erkenntnissen zutage getreten:

Experten setzen, wie bereits mehrfach angeklungen, Risiko mit durchschnittlicher Verlusterwartung pro Zeiteinheit gleich. Laien nehmen dagegen Risiken als ein komplexes, mehrdimensionales Phänomen wahr, bei dem subjektive Verlusterwartungen (geschweige denn die statistisch gemessene Verlusterwartung) nur eine untergeordnete Rolle spielen, während der Kontext der riskanten Situation, der in den unterschiedlichen semantischen Bedeutungen des Risikobegriffs zum Tragen kommt, maßgeblich die Höhe des wahrgenommenen Risikos beeinflußt (Gould u.a. 1988, S. 45-59). Vergleicht man etwa statistisch gegebene mit den intuitiv wahrgenommenen Verlusterwartungen, dann weisen die meisten Studien überraschenderweise eine relativ gute Übereinstimmung zwischen Expertenschätzung und Laienperzeption nach, sofern man einen ordinalen Vergleichsmaßstab ansetzt (Ordnen von Risiken nach Größenordnung der Verlusterwartung). Das heißt: Es ist nicht so sehr Ignoranz der Laien über die tatsächlichen Risikoausmaße einer Technologie, die zur Diskrepanz zwischen Laienurteil und Expertenurteil führt, sondern vielmehr das unterschiedliche Verständnis von Risiko. Auch wenn man jemanden wahrheitsgemäß über die durchschnittliche Verlusterwartung aufklärt, mag die betreffende Person an ihrer intuitiven Risikobewertung nach wie vor festhalten, weil die durchschnittliche Verlusterwartung nur ein Bestimmungsfaktor unter vielen zur Beurteilung der Riskantheit darstellt (Vlek und Stallen 1981; Otway and Thomas 1982; Otway und von Winterfeldt 1982).

Unterschiede zwischen wahrgenommenen und statistisch berechneten Verlusterwartungen sind also nicht dramatisch, sie weisen aber eine Reihe von systematischen Eigenschaften auf, durch die auftretende Diskrepanzen erklärt werden können: Darunter fallen (Tversky und Kahnemann 1974); Jungermann 1982; Jungermann und Slovic, in Vorbereitung):

–   Je mehr die Risiken mental verfügbar sind, also je stärker sie als existent im Gedächtnis abgespeichert sind, desto eher wird ihre Wahrscheinlichkeit überschätzt (Availibility)

–   Je mehr Risiken Assoziationen mit bereits bekannten Ereignissen wecken oder häufig gebrauchte Heurismen auslösen, desto eher wird ihre Wahrscheinlichkeit überschätzt (Anchoring Effect)

–   Je kontinuierlicher und gleichförmiger Verluste bei Risikoquellen auftreten und je eher katastrophale Auswirkungen ausgeschlossen sind, desto eher wird das Ausmaß der durchschnittlichen Verluste unterschätzt (von Winterfeldt u.a. 1981)

–   Je mehr Unsicherheit über die Verlusterwartungen besteht, desto eher erfolgt eine Abschätzung der durchschnittlichen Verluste in der Nähe des Medians aller bekannten Verlusterwartungen. Demgemäß kommt es oft zu einer Überschätzung von Verlusterwartungen bei objektiv geringfügigen Risiken und zu einer Unterschätzung der Risiken bei objektiv hohen Risiken (Renn und Swaton 1984)

Die Überschätzung oder Unterschätzung von Verlusterwartungen ist aber nicht das entscheidende Kriterium in der Wahrnehmung von Risiken. Die Kontextabhängigkeit der Risikobewertung ist der entscheidende Faktor. Diese Abhängigkeit von den Begleitumständen ist jedoch nicht willkürlich, sondern folgt gewissen Gesetzmäßigkeiten. Diese lassen sich durch gezielte psychologische Untersuchungen aufdecken. Welche Begleitumstände sind es, die Menschen bei der Bewertung von Risiken berücksichtigen?

Die Forschung hat inzwischen ellenlange Listen von Begleitumständen, den sogenannten "qualitativen Faktoren", aufgestellt. In der Regel werden diese Listen mit Hilfe des statistischen Verfahrens der Faktorenanalyse auf wenige bedeutsame Mischfaktoren reduziert (Slovic, Fischhoff, and Lichtenstein 1981). Untersuchungen in den USA (Slovic 1987; Fischhoff et al. 1978; Gould et al. 1988), in Großbritannien (Brown and Green 1980; Lee 1981; Lee 1986), in den Niederlanden (Vlek und Stallen 81), in Österreich (Otway 80) und in der Bundesrepublik Deutschland (Borcherding u.a. 1986; Fritzsche 1986; Renn 1984) haben folgende Faktoren als relevant identifizieren können:

–   Gewöhnung an Risikoquelle
–   Freiwilligkeit der Risikoübernahme
–   Persönliche Kontrollmöglichkeit des Riskantheitsgrades
–   Sicherheit vor fatalen Folgen bei Gefahreneintritt (Dread)
–   Möglichkeit von weitreichenden Folgen
–   Sinnliche Wahrnehmbarkeit von Gefahren
–   Eindruck einer gerechten Verteilung von Nutzen und Risiko
–   Eindruck der Reversibilität der Risikofolgen
–   Kongruenz zwischen Nutznießer und Risikoträger
–   Vertrauen in die öffentliche Kontrolle und Beherrschung von Risiken

Die Untersuchungen im internationalen Maßstab legen nahe, daß es sich hier um nahezu universale Kriterien zur Beurteilung von Risiken handelt, die von allen Menschen unabhängig von ihrem sozialen und kulturellen Umfeld für ihre Urteilsbildung zugrunde gelegt werden. Die relative Wirksamkeit dieser Kriterien zur Einstellungsbildung und Risikotoleranz variiert aber beträchtlich zwischen unterschiedlichen sozialen Gruppen und Kulturen. Zwar werden die oben genannten qualitativen Merkmale als Bestimmungsgrößen des wahrgenommenen Risikos in die Urteilsbildung (meist unbewußt) aufgenommen, ihr relativer Beitrag zur letztendlichen Einstellungsbildung oder Handlungsmotivation ergibt sich jedoch aus individuellen Lebensumständen und kulturellen Wertverpflichtungen. Personen, die einen alternativen Lebensstil bevorzugen, neigen eher als andere dazu, die Bewertungsfaktoren "Reversibilität von Risikofolgen" und "Kongruenz von Risikoträgern und Nutznießern" zur Beurteilung von Risiken heranzuziehen, während Personen, die ausgeprägte materielle Wertvorstellungen haben, Risiken stärker nach persönlicher Kontrollmöglichkeit und Vertrauen in Institutionen der Gefahrenabwehr beurteilen (Buss und Craik 1983; Harding und Eiser 1984; Gould u.a. 1988). Wie Otway in seinen Einstellungsuntersuchungen zur Kernenergie eindrücklich nachweist, korrelieren unterschiedliche Wertmuster auch mit der relativen Bedeutung, die Personen entweder dem Nutzen oder dem Risiko einer Technologie zuweisen (Otway 1980; Otway und Thomas 1982).

Daraus folgt, daß Wertvorstellungen und kulturelles Umfeld wesentliche Bestimmungsgrößen von Risiken darstellen, die nicht additiv zu den bereits beschriebenen semantischen und qualitativen Faktoren wirken, sondern diese quasi voraussetzten, indem sie sie als Kanäle zum Transport von Bewertungen benutzen. Die relative Wirksamkeit der intuitiven Warhnehmungsprozesse bis hin zur Überkompensation einzelner Faktoren läßt sich durch die verinnerlichten Wertvorstellungen und äußere Situationsumstände steuern, aber offensichtlich nicht ihre Existenz. Diese Erkenntnis ist keine akademische Spitzfindigkeit, sondern unmittelbar relevant für Kommunikation und Konfliktaustragung: Geht man davon aus, daß intuitive Mechanismen der Risikowahrnehmung und -bewertung quasi universelle Züge tragen, die durch sozio-kulturelle Einflüsse mehr oder weniger überformt werden können, dann gibt es auch eine fundamentale Kommunikationsbasis, auf die man bei aller Unterschiedlichkeit der Standpunkte zurückgreifen kann. Neben dem Reservoir an gemeinsamen Symbolen und Ritualen (shared meaning), deren Bedeutung für soziale Integration in pluralistischen Gesellschaften stetig abnimmt, eröffnet sich hier ein Reservoir an gemeinsamen

Mechanismen der Risikowahrnehmung, die analog zum Common Sense supra-individuelle Verständigungsmuster signalisieren.

5.   Aufgaben der Risiko-Politik

Es erscheint mir problematisch, die intuitive Wahrnehmung und Bewertung von Risiken mit Irrationalität gleichzusetzen, nur weil sie sich von dem universellen Risikobegriff, wie er in Wissenschaft und Technik üblicherweise gebraucht und gehandhabt wird, unterscheidet. Die vielfältigen Forschungsergebnisse aus der Risiko-Psychologie weisen vielmehr darauf hin, daß die meisten Menschen Bewertungskriterien zur Beurteilung von Riskantheit anwenden, die erstens dem Kontext der Risikosituation angepaßt sind und zweitens Dimensionen umfassen, die bei der wissenschaftlichen Risikoanalyse oder Kosten-Nutzenanalyse gar keine oder nur eine geringfügige Rolle spielen. Einige dieser Kriterien sind in der Tat irrational, wie z.B. die Unterbewertung oder sogar Nichtbeachtung von Wahrscheinlichkeitsaussagen, andere dagegen sind vom Standpunkt des Individuums aus gesehen, z. T. aber auch aus politischer Sicht betrachtet durchaus rational (Lee 81; Green and Brown 1980).

Darunter fallen beispielsweise die folgenden Kriterien:

- Freiwilligkeit der Risikoübernahme
- Persönliche Kontrollmöglichkeit der Gefahrenquelle
- Katastrophenfähigkeit der Risikoquelle
- Erfahrungen (kollektiv wie individuell) mit Technik und Natur
- Vertrauenswürdigkeit der Informationsquellen
- Eindeutigkeit der Information über Gefahren
- Verteilungswirkungen von Nutzen und Risiken

Diese Kriterien machen nicht nur bei der Alltagsbewältigung von Risiken Sinn. Jede Regierung ist gut beraten, zwischen Risiken, die Mitglieder der Gesellschaft freiwillig eingehen, und Risiken, die unbeteiligte Dritte einem Risiko aussetzen, zu unterscheiden. Ebenso dürften die volkswirtschaftlichen Kosten, die mit einer katastrophalen Freisetzung von Energie oder Materie verbunden sind, höher sein als die Kosten eines kontinuierlich anfallenden Schadens, selbst wenn in beiden Fällen der Erwartungswert identisch sein mag. Schließlich müssen der Stand des erreichten Wissens und die Spannweite der verbleibenden Unsicherheit als Maßstab der Risikobewertung herangezogen werden.

Besonders politisches Gewicht liegt auf den Verteilungswirkungen von Risiko. Erst kürzlich hat Ulrich Beck in seinem Buch über die Risikogesellschaft einen Paradigmenwechsel von der Verteilung des gesellschaftlichen Reichtums zur Verteilung des gesellschaftlichen Risikos geortet (Beck 1986). Damit verbunden sind neuartige Verteilungskämpfe zwischen den Nutznießern von Risikoquellen und den Risikoträgern. Regionale Disparitäten, soziale Differenzen, und Risikohypotheken für künftige Generationen bilden den Konfliktstoff für die sozialen Auseinandersetzungen der Zukunft. Die Frage an die Politik, so der Kulturanthropologe Steve Rayner, ist nicht "Wie sicher ist sicher genug?", sondern "Wie fair ist sicher genug?" (Rayner und Cantor 1984). Mit dieser Verschiebung der Risikodebatte von der Frage des akzeptablen (Un)sicherheitsniveaus zur Frage eines akzeptablen Verfahrens zur Bestimmung des erwünschten Sicherheits- und Nutzenniveaus verliert das wissenschaftlich-technische Risikokonzept an normativer Bedeutung für die Politik (Douglas and Wildavsky 1982; Otway und von Winterfeldt 1982). Verteilungsdebatten sind weniger von der Höhe des zu verteilenden Gutes bzw. Risikos geprägt als von der Perzeption einer gerechten oder ungerechten Aufteilung dieses Gutes unter die Nutznießer bzw. Risikoträger. Da auch die intuitive Risikobewertung solche Verteilungsaspekte in die Urteilsbildung einbezieht, bewirkt die zur Zeit zu beobachtende politische Betonung auf Verteilungswirkungen von Risiken eine Verstärkung dieses Faktors in der allgemeinen Bewertung von technischen Risiken. Risikoquellen, bei denen eine ungleiche Risiko-Nutzenverteilung angenommen wird, haben es deshalb doppelt schwer, von der Bevölkerung toleriert zu werden.

Welchen Nutzen können wir in dieser Situation von der Erforschung der Risikowahrnehmung ziehen? Was läßt sich normativ aus den Studien über die intuitive Risikowahrnehmung für Risiko- und technologiepolitische Entscheidungen ableiten? Wenn aus der Kenntnis des Ist-Zustandes auch keine Soll-Aussagen abgeleitet werden können, so erscheinen mir doch einige Lehren für die Politik aus den Analysen über Risikowahrnehmung nahezuliegen, zumindest wenn man die Ziele einer rationalen und gleichzeitig demokratischen Technologiepolitik als normative Zielvorgaben akzeptiert.

1. Technische Risikoanalysen sind hilfreiche und notwendige Instrumente einer rationalen Technologiepolitik. Nur mit ihrer Hilfe lassen sich relative Risiken miteinander vergleichen und Optionen mit dem geringsten Erwartungswert von Schaden auswählen. Sie können und dürfen jedoch nicht als alleinige Richtschnur für staatliches Handeln

dienen. Ihre Universalität wird nämlich mit einer Abstraktion vom Kontext und einer Ausblendung der auch rational sinnvollen Risikomerkmale erkauft. Ohne Einbeziehung von Kontext und situationsspezifischen Begleitumständen werden Entscheidungen dem Anspruch, in einer gegebenen Situation ein Zielbündel zweckrational und wertoptimierend zu erreichen, nicht gerecht.

2. Kontext und Begleitumstände sind wesentliche Merkmale der Risikowahrnehmung. Diese Wahrnehmungsmuster sind keine beliebig manipulierbaren, irrational zusammengeschusterten Vorstellungen, sondern in der menschlichen Evolution gewachsene und im Alltag bewährte Konzepte, die zwar überformt, aber nicht prinzipiell ausgelöscht werden können. Ihr universeller Charakter ermöglicht eine gemeinsame Orientierung gegenüber Risiken und schafft eine Basis für Kommunikation. Der Reichtum, der diesen Wahrnehmungsprozessen zugrunde liegt, kann und soll auch in der Risikopolitik Verwendung finden.

3. Unter rationalen Gesichtspunkten erscheint es durchaus erstrebenswert, die verschiedenen Dimensionen des intuitiven Risikoverständnisses systematisch zu erfassen und auf diesen Dimensionen die jeweils empirisch gegebenen Ausprägungen zu messen. Wie stark verschiedene technische Optionen Risiken auf Bevölkerungsgruppen verteilen, in welchem Maße institutionelle Kontrollmöglichkeiten bestehen und inwieweit Risiken durch freiwillige Vereinbarung übernommen werden, läßt sich im Prinzip durch entsprechende Forschungsinstrumente messen. Daß aber diese Faktoren in die politische Entscheidung eingehen sollen, können wir aus der Risikowahrnehmung lernen. Dahinter steht also die Auffassung, daß die Dimensionen (Concerns) der intuitiven Risikoerfassung legitime Elemente einer rationalen Politik sein müssen, die Abschätzung der unterschiedlichen Risikoquellen auf jeder Dimension aber nach rationalwissenschaftlicher Vorgehensweise erfolgen kann (Renn 1985b).

4. Risikowahrnehmung kann aber andererseits kein Ersatz für rationale Politik sein. Ebensowenig wie technische Risikoanalysen zur alleinigen Grundlage von Entscheidungen gemacht werden dürfen, sollte man die faktische Bewertung von Risiken nicht zum politischen Maßstab ihrer Akzeptabilität machen. Wenn wir wissen, daß bestimmte

Risiken, wie etwa das Passivrauchen zu schweren Erkrankung führen können, dann ist politische Risikoreduzierung angebracht, auch wenn mangelndes Problembewußtsein in der Bevölkerung herrscht. Die Identifikation offenkundig falscher Vorstellungen oder sogar irrationaler Elemente, die auf Fehlwahrnehmungen beruhen, können kein Politikersatz sein. Ihre Kenntnis kann jedoch zur Gestaltung und Ausführung von Informations- und Bildungsprogrammen nutzbringend angewandt werden. Das Unvermögen vieler Menschen, probabilistische Aussagen zu verstehen oder die Riskantheit langfristig vertrauter Risikoquellen zu erkennen, ist sicherlich eines der Problembereiche, an denen gezielte Bildungs- und Informationsprogramme anknüpfen können (Royal Society 83). Damit ist eine gegenseitige Ergänzung von technischer Risikoanalyse und intuitiver Risikowahrnehmung gefordert.

5.   Selbst wenn man die besten wissenschaftlichen Erkenntnisse auf allen Dimensionen, die Menschen als relevant erachten, gesammelt hat, ist damit die Entscheidung über technische Optionen noch lange nicht vorprogrammiert. Denn Abwägungen zwischen Optionen setzen immer politische Gewichtungen zwischen den unterschiedlichen Zieldimensionen voraus. Solche Abwägungen sind einerseits vom Kontext, andererseits von der Wahl der Dimensionen abhängig. Bei der Wahl der Dimensionen kann uns die Wahrnehmungsforschung bereits wichtige Anregungen vermitteln. Bei der Abwägung und der relativen Gewichtung der Dimensionen spielt das Kriterium der Fairneß eine bedeutende Rolle. Experten sind nicht mehr legitimiert, solche Abwägungen zu treffen als jeder andere Bürger. Hier stoßen wir an die Grenze von Risikovergleichen. Selbst wenn wir uns innerhalb des semantischen Kontexts bewegen, den die meisten Menschen als Reservoir vergleichbarer Risiken akzeptieren, so verhindert die Mehrdimensionalität des intuitiven Risikokonzeptes und die Zielvariabilität des Risikomanagements eine einseitige Ausrichtung der Risikopolitik nach dem Kriterium der Minimierung des zu erwartenden Schadens. Ein Verstoß gegen das Minimierungsgebot bedeutet freilich auch die Hinnahme eines höheren Schadens als unbedingt notwendig. Eine solche Inkaufnahme mag sich aber aus den Risikoumständen legitimieren lassen.

6.   Wer aber ist legitimiert, solche Entscheidungen zu treffen, und wie läßt sich der Entscheidungsprozeß als solcher legitimieren? Auf diese Fragen gibt es keine allgemeingültige und intersubjektiv verbindliche Antwort. Mehr Partizipation der Betroffenen fordern die einen, verstärkte Transparenz bei der Entscheidungsfindung die anderen; rationale und herrschaftsfreie Diskurse werden als Lösungen gefordert oder den benevolenten Diktator, der im Interesse des Gemeinwohls Entscheidungen trifft. Ich selber habe mit dem von Peter Dienel entwickelten Verfahren der Planungszelle, einer Gruppe von – nach dem Zufallsprinzip ausgewählten – Bürgern, gearbeitet und gute Erfahrungen gemacht (Dienel 1978; Renn u.a. 1985). Wie immer man politisch diesen Legitimationsbedarf von Risikoentscheidungen organisieren möchte, es wird kein Weg daran vorbei führen, zum einen die relative Gewichtung von Werten in der Gesellschaft bewußt in den Prozeß der Entscheidungsfindung einzubinden und zum anderen durch prinzipielle Offenheit gegenüber gesellschaftlichen Forderungen und Transparenz des Entscheidungsprozesses den Eindruck von Fairneß und Kompetenz, beides Voraussetzungen von Systemvertrauen, zu erwecken. Beide Voraussetzungen sind leichter zu erfüllen, wenn man mehr über die Wahrnehmung von Risiken weiß und die Präferenzen der verschiedenen Bevölkerungsgruppen kennt.

Die weitere Entwicklung der Industriestaaten wird in der Tat weitgehend davon abhängen, ob es uns gelingt, mehr über die Ursachen und Wirkungen der Risikowahrnmnung zu erfahren. Das Wissen um die intuitiven Prozesse bei der Wahrnehmung von Techniken kann uns weiterhelfen, Konflikte über die Tolerierbarkeit von Techniken besser vorauszusehen und antizipativ darauf einzugehen. Die Identifikation rationaler Elemente in der intuitiven Wahrnehmung von Risiken und Technologien verhilft uns zu einer besseren normativen Theorie der Technikselektion.

Programme zur Konfliktaustragung und Risikokommunikation werden sicherlich auf öffentliche Ablehnung stoßen, solange der Lern- und Kommunikationsprozeß nicht wechselseitig erfolgt. Öffentliche Wahrnehmung und Common Sense können Wissenschaft und Politik nicht ersetzen, aber durchaus bereichern. Gleichzeitig dürfte die Bereitschaft der Öffentlichkeit steigen, rationale Konzepte der Entscheidungsfindung zu akzeptieren, wenn die Entscheider Kriterien und Belange der öffentlichen Wahrnehmung ernstnehmen (Hoss 1980).

Wichtig für die Umsetzung in Politik ist die Erkundung von wertrelevanten Dimensionen, die bei der intuitiven Bewertung von Technik implizit angewandt werden. Ihre Offenlegung hilft dem Politiker oder Politikberater, eine rationale Strategie zu entwerfen, die auf die legitimen Belange der Betroffenen eingeht und die zugrundeliegenden Wertorientierungen beachtet. Damit lassen sich zwar Konfklikte nicht ausschließen, da individuelle und kollektive Rationalität nicht zwangsläufig kongruent sind, aber zumindest abmildern und Strategien der Konfliktlösung entwerfen. Ziel dürfte nicht die konfliktlose Gesellschaft, sondern die rationale Austragung von legitimen Konflikten sein.

6. Literatur

1. Beck, U., *Die Risikogesellschaft. Auf dem Weg in eine andere Moderne* (Suhrkamp: Frankfurt/M 1986)

2. Borcherding, K., R. Rohrmann und T.Eppel, "A Psychological Study on the Cognitive Structure of Risk Evalutions," in: B. Brehmer, H. Jungermann, P. Lourens und G. Sevon (Hrg.), *New Directions in Research on Decision Making* (Elsevier Science, North Holand Publisher: Amsterdam 1986), S. 245-262

3. Brehmer, B., "The Psychology of Risk," in: W.T. Singleton und J. Hovden (Hrg.), *Risk and Decisions* (John Wiley: New York 1987), S. 25-39

4. Brown, R.A., und C.H. Green, "Percepts of Safety Assessment," *Journal of the Operational Research Society,* 31 (1980), S. 563-571

5. Buss, D. und K. Craik, "Contemporary Worldviews: Personal and Policy Implications, "*Journal of Applied Social Psychology,* 13 (1983), S. 259-280

6. Covello, V.T., "The Perception of Technological Risks: A Literature Review," *Technological Forecasting and Social Change,* 23 (1983), S. 285 297

7. Dawes, R.M., *Rational Choice in an Uncertain World* (Harcourt, Brace and Jovanovich: San Diego u.a. 1988)

8. Dienel, P.C., *Die Planungszelle* (Westdeutscher Verlag: Opladen 1978)

9. Douglas, M. und A. Wildavsky, *Risk and Culture* (University of California Press: Berkeley 1982)

10. Earle, T.C. und M.K. Lindell, "Public Perceptions of Industrial Risks: A Free-Response Approach," in: R.A. Wallner und V.T. Covello (Hrg.), *Low-Probability, High-Consequence Risk Analysis* (Plenum: New York 1984)

11. Fischhoff, B.; P. Slovic, S. Lichtenstein, S. Read, und B. Combs, "How Safe is Safe Enough? A Psychometric Study of Attitudes Toward Technological Risks and Benefits," *Policy Sciences,* 9 (1978), S. 127-152

12. Fritzsche, A.F.: *Wie sicher leben wir?* (Verlag TÜV Rheinland: Köln 1986)

13. Gould, L.C., G.T. Gardner, D.R. DeLuca, A.R. Tiemann, L.W. Doob und J. A.J. Stolwijk, *Perceptions of Technological Risks and Benefits* (Russell Sage Foundation: New York 1988)

14. Green, C. und R. Brown, "Through a Glass Darkly: Perceiving Perceived Risks to Health and Safety, "Research Paper, School of Architecture, University of Dundee (Dundee, Scotland 1980)

15. Häfele, W. und O. Renn, "Risiko und Undeutlichkeiten," in: H. Häfele (Hrsg.), *Energieperspektiven für die Zukunft* (Arbeitstitel: in Vorbereitung)

16. Harding, C. und J. Eisen, "Characterizing the Perceived Risks and Benefits of Some Health Issues, "*Risk Analysis*, 4 (1984), S. 131-141

17. Hohenemser, C. und O.Renn, "Shifting Public Perceptions of Nuclear Risk: Chernobyl's Other Legacy," *Environment*, 30, No 3 (April 1988), S. 5-11 und 40-45

18. Hoos, I., "Risk Assessment in Social Perspective," in: National Council on Radiation Protection and Measurements (Hrg), *Perceptions of Risk*, (Washington D.C. 1980), S. 37-85

19. Johnson, E.J. and A. Tversky, "Affect, Generalization, and the Perception of Risk," *Journal of Personality and Social Psychology*, 45 (1983), S. 20-31

20. Jungermann, H., "Zur Wahrnehmung und Akzeptierung des Risikos von Großtechnologien," *Psychologische Rundschau*, 23, No 3 (1982), S. 217-238

21. Jungermann, H. und P. Slovic, "Die Psychologie der Kognition und Evaluation von Risiko," Unveröffentlichtes Manuskript, Institut für Psychologie, TU Berlin (Berlin: September 1987)

22. Kuhn, T.S., *Die Struktur wissenschaftlicher Revolutionen* (Suhrkamp: Frankfurt/M 1967)

23. Lee, T.R., "The Public Perception of Risk and the Question of Irrationality," in: Royal Society of Great Britain (Hrg.), *Risk Perception*, Band 376 (London 1981), S.5-16

24. Lee, T.R., "Effective Communication of Information about Chemical Hazards," *The Science of the Total Environment*, 51 (1986), S. 149-183

25. Mumpower, J., "The Psychology of Lotteries," Manuskript für die Jahrestagung der "Society for Risk Analysis" in Dallas, Nov.1-4, 1987

26. Mazur, A., "Opposition to Technological Innovation", *Minerva*, 13 (1975), S. 229-237

27. Otway, H., "Perception and Acceptance of Environmental Risk," *Zeitschrift für Umweltpolitik*, 2 (1980), S. 593-616

28. Otway, H. und K. Thomas, "Reflections on Risk Perception and Policy," *Risk Analysis*, 2 (1982), S. 69-82

29. Otway, H. und D. von Winterfeldt, "Beyond Acceptable Risk: On the Social Acceptability of Technologies," *Policy Sciences*, 14, No. 3 (1982), S. 247-256

30. Perusse, M., *Dimensions of Perceptions and Recognition of Danger* (Dissertation an der Universität von Aston: Birmingham 1980)

31. Rayner, S. und R. Cantor, "How Fair is Safe Enough? The Cultural Approach to Societal Technolgy Choice," *Risk Analysis,* 7 (1987), S. 3-13

32. Renn, O., *Die sanfte Revolution, Zukunft ohne Zwang?* (Girardet Verlag: Essen 1980)

33. Renn, O., *Risikowahrnehmung der Kernenergie* (Campus: Frankfurt und New York 1984)

34. Renn, O. und E. Swaton, "Psychological and Sociological Approaches to Study Risk Perception," *Environment International*, 10 (1984), S. 557-575

35. Renn, O., "Die alternative Bewegung. Eine historisch-soziologische Analyse des Protestes gegen die Industriegesellschaft," *Zeitschrift für Politik*, 32, No.2 (1985a), S. 153-194

36. Renn, O., "Risk Analysis: Scope and Limitations," in: H. Otway und M. Peltu (Hrsg.), *Regulating Industrial Risks. Science, Hazards, and Public Protection* (Butterworth: London 1985b), S. 111-127

37. Renn, O.; Albrecht, G.; Kotte, U.; Peters. H.P. und Stegelmann, H.U., *So zielverträgliche Energiepolitik. Ein Gutachten für die Bundesregierung* (HTV: München 1985)

38. Renn, O., "Akzeptanzforschung: Technik in der gesellschaftlichen Auseinandersetzung," *Chemie in unserer Zeit*, 22 (April 1986), S. 44-52

39. Renn, O., "Eine kulturhistorische Betrachtung des technischen Fortschritts," in: H.Lübbe (Hrg.), *Fortschritt der Technik- Gesellschaftliche und Ökonomische Auswirkungen* (Decker: Heidelberg 1987), S. 65-100

40. Royal Society of Great Britain (Hrg.), *Risk Assessment, A Study Group Report* (London 1983)

41. Sandman, P.M., N.D. Weinstein und M.L.Klotz, "Public Response to the Risk from Geological Radon," *Communication*, 37, No.3 (Sommer 1987), S. 93-108

42. Sjoberg, J. und E. Winroth, "Risk, Moral Value of Actions, and Mood," Unveröffentlichtes Manuskript der Universität von Göteborg: Department of Psychology (Göteborg 1985)

43. Slovic P., B. Fischhoff, und S. Lichtenstein, "Characterizing Perceived Risk," in: R. Kates und C. Hohenemser (Hrg.), *Technological Hazard Management* (Oelgeschlager, Gunn and Hain: Cambridge 1981)

44. Slovic P., B. Fischhoff B. und S. Lichtenstein, "Why Study Risk Perception?" *Risk Analysis*, 2 (Juni 1982), S. 83-94

45. Slovic, P., "Perception of Risk," *Science*, 236, No. 4799 (1987), 280-285

46. Tack, W., "Risikowahrnehmung und -beurteilung. Die Psychophysik des Risikos," Bericht vor der Arbeitsgruppe "Umweltstandards" der Akademie der Wissenschaften zu Berlin (Berlin: 15. April 1988)

47. Tversky, A. und D. Kahnemann, "Judgement under Uncertainty. Heuristics and Biases," *Science*, 85 (1974), S. 1124-1131

48. Vlek, Ch. und P.J. Stallen, "Judging Risks and Benefits in the Small and in the Large," *Organizational Behaviour and Human Performance*, 28 (1981), 235-271

49. von Winterfeldt, D., R.S. John, und K. Borcherding, "Cognitive Components of Risk Ratings," *Risk Analysis,* 1 (1981), S. 277-287

192

"Sorget nicht – seid klug!"

Theologische Anfragen an den gesellschaftlichen Umgang mit Technik

von

TRUTZ RENDTORFF

In Bonn wird gegenwärtig eine Debatte darüber geführt, ob der Schutz der natürlichen Umwelt des Menschen ins Grundgesetz aufgenommen werden soll. Für die entsprechende Änderung des Grundgesetzes steht dabei auch ein Formulierungsvorschlag zur Diskussion, demzufolge das intendierte Staatsziel mit dem Begriff "Bewahrung der Schöpfung" zu bestimmen sei. Die Forderung, eine Staatszielbestimmung "Bewahrung der Schöpfung" in die Verfassungsurkunde aufzunehmen, ist in mehrfacher Hinsicht signifikant für den gegenwärtigen gesellschaftlichen Umgang mit den Folgelasten des zivilisatorischen Fortschrittes. Sie wird erhoben an den Grenzen dessen, was als Nutzen weitgehend zu den zeitgemäßen Selbstverständlichkeiten des alltäglichen Lebens gehört – ein hochentwickeltes, medizinisch technisch modernes und flächendeckend zugängliches Gesundheitswesen, eine stets präsente und den Alltagsbedürfnissen leistungsgerechte Energieversorgung, ein die Bewegungsfreiheit in jeder gewünschten Richtung bedienendes System von Verkehrs- und Kommunikationsmitteln. An den Grenzen des erkennbaren und selbstverständlich in Anspruch genommenen Nutzens der technisch-wissenschaftlichen Zivilisation hat sich die Sorge eingenistet, die Folgen könnten den Nutzen dementieren. Für die Gesamtheit der Phänomene, die dabei heute die Aufmerksamkeit unseres öffentlichen Bewußtseins beanspruchen, hat sich als Kurzform in der Kritik die Parole "Zerstörung der Schöpfung" eingestellt. Ihr antwortet die Zielbestimmung "Bewahrung der Schöpfung", der nunmehr auch die Aufnahme in die Verfassungsnorm, das Grundgesetz zugedacht ist.

Damit wird ein zentraler Topos der religiösen Sprache als Verständigungsmittel über einen in Herkunft und Folge durch und durch säkularen Sachzusammenhang angeboten und in Umlauf gebracht. Denn darüber kann ja kein Zweifel bestehen, daß Wort und Ausdruck "Schöpfung" in dem umfassenden, die Vorbedingungen und Gegebenheiten unseres Lebens, alles Lebens meinenden Sinne ihren primären Ort in der Religion haben. Und so ist es eine keineswegs zufällige Parallele, daß in dem gegenwärtig inszenierten und unter der Wortführerschaft eines prominenten Naturforschers und Philosophen begonnenen sogenannten konziliaren Prozeß in den Kirchen die Trias lautet "Gerechtigkeit, Frieden und Bewahrung der Schöpfung".

Ich wähle diesen Ausgangspunkt für meinen Beitrag zu dieser Vorlesungsreihe über "Risiko in der Industriegesellschaft", weil mit ihm sehr viel ausgesagt wird über die im Untertitel zur Diskussion gestellte "Akzeptanz". In dieser Fragestellung, in der der Analyse und der Vorsorge die Akzeptanz zugeordnet ist, meldet sich ein Problem, dem sich inzwischen schon eine neue Forschungsrichtung, die "Akzeptanzforschung" verdankt. Wenn Akzeptanz problematisch wird, dann ist das ja zunächst ein Problem desjenigen, der etwas anzubieten oder zu vertreten hat und der sich unter gegebenen Bedingungen zu Fragen genötigt sieht, wie das, was er anzubieten oder zu vertreten hat, angenommen, aufgenommen wird oder nicht, also zurückgewiesen und abgewiesen wird. Und so wird ja heute auch über eine "Akzeptanzkrise" von Wissenschaft und Technik diskutiert. Für die überwältigende Summe der für die "Industriegesellschaft" typischen Angebote besteht zwar kein Anlaß, von einer Akzeptanzkrise zu sprechen; aber ebenso unübersehbar sind die Krisenphänomene, die sich an unbeabsichtigten Folgen des technisch-wissenschaftlichen Fortschritts für die Umwelt und an Risiken des Nutzens unserer technischen- wissenschaftlichen Potenzen ballen. Und je mehr diese Sachverhalte die allgemeine öffentliche Diskussion bestimmen und in ihr Platz greifen, umso dringender wird die Frage, in welchem Medium sich die Verständigung über sie zusammenfaßt und zum gemeinverständlichen Ausdruck bringt. In dieser gesellschaftlich relevanten Kommunikation ist der Topos "Schöpfung" zu neuen Ehren gekommen, und zwar in der Doppelwertigkeit, in der die "Zerstörung der Schöpfung" und die "Bewahrung der Schöpfung" als Globalformel für die Wahrnehmung der Krisenphänomene zitiert werden.

Man könnte nun geneigt sein, dies lediglich als eine façon de parler auf sich beruhen zu lassen mit dem Hinweis darauf, daß Schöpfung in diesem Zusammenhang nichts anderes sei als ein umgangssprachlich längst eingespieltes Äquivalent für "Natur". Doch damit würde man ersichtlich zu kurz greifen. So zutreffend es wäre daran zu erinnern, daß der naturhungrige und pflastermüde Großstädter schon lange seine Ausflüge in die umliegenden Landschaften auch als Lust an der "freien Natur" oder "Schöpfung" zu bezeichnen gewohnt ist, so wäre doch auch daran zu erinnern, daß eben diese Ausflüge in kirchenkritischer Betonung als alternativer "Gottesdienst in der Natur" in dem freudigen Genuß der Schöpfung zur Erklärung der Abstinenz vom Kirchenbesuch zur Verwendung gekommen ist. An eben diese Tiefendimension von Natur als Schöpfung, von Schöpfung als Natur appelliert die gegenwärtige Renaissance des Topos Schöpfung, wenn deren Zerstörung als Signum des Zeitalters in dessen fortgeschrittensten Praktiken benannt wird.

Diese Renaissance des Redens von Schöpfung speist sich nun keineswegs aus den Quellen der Theologie. Sie assoziiert vielmehr in theologisch durchaus unbekümmerter Weise mit diesem Topos die moralische Intensität einer Kritik, die damit über bestimmte Sachverhalte, die als solche riskant genannt zu werden verdienen – Dünnsäure in der Nordsee und Algen in der Ostsee, Ozonloch und Eisbergschmelze, Entsorgung von Strahlungsmaterial oder was jeweils in den Vordergrund der Aufmerksamkeit tritt – hinausgeht und eine Verständigung über das Ganze anbietet, um das es geht und in dessen Ausdruck sich alles so versammelt, daß es dem moralischen Appell Unausweichlichkeit verleiht: "Zerstörung der Schöpfung!"

Signifikant ist nun, daß die Repräsentanten der Kirche in Bonn, sozusagen als Kompetenzträger für religiöse Topoi, die Einführung des Begriffes "Bewahrung der Schöpfung" befürworten. Sie tun das mit dem Argument, es sei doch gut, wenn ein unzweifelhaft biblischer Ausdruck in das Selbstverständnis des Staates Aufnahme fände. Und es sei vor allem auch zu begrüßen, daß damit implizit ein Bekenntnis dazu stattfände, daß der Mensch nicht der letzte Maßstab sei, wie das doch bei der Verwendung des Ausdruckes "natürliche Umwelt des Menschen" immer noch vorausgesetzt sei. Und es kann ja auch kein Zweifel sein, daß die Kirchen sich überall in Bewegung gesetzt haben, um mit dieser neuen Bewegung der Dinge Tritt zu fassen.

In der Tat, der religiöse Gehalt des Topos "Schöpfung" bringt genau diesen Gedanken zum Ausdruck, daß das Ganze unserer Wirklichkeit nicht als Produkt menschlicher Tätigkeit zu begreifen sei. Subjekt der Schöpfung – im neuzeitlichen Verständnis von Subjekt – ist nicht der Mensch sondern Gott. Die Schöpfung ist Gottes Werk und der Mensch soll sich in dieser Hinsicht als Geschöpf verstehen.

Als vor kurzem ein Bericht der Zeitschrift "Bild der Wissenschaft" einen Artikel über die neuesten Entwicklungen und die Zukunftsperspektiven der Molekularbiologie unter dem Titel "Der achte Tag der Schöpfung" ankündigte, wurde dieser verkaufsfördernd gemeinte plakative Titel auch sofort aufgegriffen und in der Presse als Indiz für einen maßlosen und im Grunde verwerflichen Anspruch der Gentechnologie und der Genforschung gebrandmarkt. Das angebotene Verständigungsmedium "Schöpfung" erwies sich hinsichtlich der Akzeptanz der kreativen Biologie und der erfolgreichen Konstruktion eines künstlichen Biomoleküls unter veränderten Eigenschaften als zweischneidig und mehrdeutig. Die Kritik liegt auf der Hand: Nachdem Gott am siebten Schöpfertag von seinem Schöpfungswerk ruht, machen sich nunmehr die Biologen daran, die Schöpfung in die eigene Hand zu nehmen und mit ihren Mitteln fortzusetzen. Dem Stolz auf erfolgreiche Wissenschaft und ihre technische Umsetzung, der sich im Gebrauch einer solchen Metapher wie "achter Schöpfungstag" ausspricht, begegnen nicht nur Anerkennung und Dank, sondern eben auch zunehmend Mißtrauen und fundamentale Kritik. Die Verwendung der religionsverwandten Terminologie dient in beiden Hinsichten einer Dramatisierung von Vorgängen, die damit aus dem immanenten Zusammenhang technisch-wissenschaftlicher Prozesse und ihrer gesellschaftlichen Nutzung herausgehoben und durch das Symbol "Schöpfung" die Bedeutung des Außergewöhnlichen an der Grenze des Bekannten der erforschten und genutzten Welt zugesprochen wird.

Uns soll hier die Symbolwirkung für den gesellschaftlichen Umgang mit Technik interessieren. Der Chefredakteur der Publikumszeitschrift, der dem Forschungsgebiet des Molekularbiologen den Titel "achter Schöpfungstag" vorausstellt, repräsentiert das hochgemute Fortschrittsbewußtsein einer Wissenschaftsepoche, die ihre Fortschritte in weltanschaulicher Perspektive als Fortgang über die religionsgeprägten Grenzen der Wahrnehmung von Wirklichkeit hinaus zu feiern geneigt war und dafür ja auch auf unleugbare und allseitig genützte Erfolge verweisen kann. Das hat Tradition. Ich erinnere nur an den bekannten Ironiespruch jenes Gärtners, der auf die Schönheit seines Gartens als Beweis für die Güte des Schöpfers angesprochen, trocken replizierte: "Sie hätten das mal sehen sollen, als Gott das noch alleine machte". Kultur als die menschliche Verbesserung und Veredelung der alleingelassenen Natur. Die gegenläufige Tendenz, die heute veränderte Wahrnehmungsweisen darstellt, konnte man in einer Fernsehsendung bekundet finden, als ein engagierter Ökologe nach dramatischer Darstellung der schädlichen Folgen unserer Zivilisation für Tiere und Pflanzen auf die Frage, was denn zu tun sei, lapidar und in seinen Augen folgerichtig antwortete: "Der Mensch muß weg". Die friedliche Natur – der Störenfried Mensch – das läßt sich ebenso dramatisch auf die Formel bringen, der Mensch sei der Risikofaktor Nr. 1.

Es ist offensichtlich, daß in solchen Deutungen eine Ebene der Verständigung gewählt wird, die über ihren symbolischen Darstellungswert hinaus keine praktische Orientierung zu geben vermag. Zugleich aber wird dabei ersichtlich, daß wir uns immer dann, wenn es ums Ganze geht, nicht mehr auf dem sicheren Boden der Alltagserfahrung, der in sich wohl definierten Erkenntnisse von Wissenschaft und Technik befinden. Fragen von der Größenordnung der Zukunftsfähigkeit einer Zivilisation überhaupt und im Großen und Ganzen appellieren an ein Wissen, das uns nicht in dem gleichen Maße zu Verfügung steht, wie das interessenbezogene und in seinen Grenzen kontrollierbare Wissen, mit dem Vorteile und Nachteile in überschaubaren Zusammenhängen abgewogen und ausgeglichen werden können.

Der Topos "Schöpfung" symbolisiert noch etwas anderes als Kenntnisse, die in die Auseinandersetzung um Kernenergie oder Genforschung gezielt oder pragmatisch-handlungsorientierend eingebracht werden können. Er wird heute vorwiegend assoziiert, um die angesichts der Risiken und Folgelasten der technisch bestimmten Zivilisation bestehenden Orientierungslücken gezielt mit einem moralischen Vorwurf auszufüllen: "Zerstörung der Schöpfung" sei das, worauf das alles hinauslaufe, und die Anklage zielt darauf, dem Vorwurf höchstes Gewicht zu verleihen.

In der Theologie muß sich dagegen Widerspruch regen. Und wenn es denn so ist, daß religiöse Topoi im gesellschaftlichen Umgang mit Technik und Wissenschaft eine Rolle spielen, dann wird man gut daran tun, darüber zu sprechen, was damit zum Ausdruck gebracht werden kann und was gerade nicht. Die Theologie muß ja darüber auskunftspflichtig sein, wofür das religiöse Bewußtsein kompetent ist. In allen einzelnen und bestimmten Fragen, was zu tun sei angesichts erkennbarer Risiken, wie sie mit dem technisch-wissenschaftlichen Weltumgang verbunden sind, verfügt Religion nicht über ein Wissen, das im übrigen nicht vorhanden wäre, und sie kann gebotene Klugheit nicht auf andere Weise informieren als der Commonsense. Religion ist eine Angelegenheit des Vertrauens und der Wahrnehmung von Grenzen im Blick auf unsere Dispositionsmöglichkeiten, innerhalb deren sich menschliche Verantwortung gestalten läßt. Die Rede von der "Zerstörung" der Schöpfung dient zunächst einfach dazu, der Sorge über die im Prinzip unbeabsichtigten Folgen unseres Handelns Nachdruck zu verleihen. Sie stellt aber auch einen scheinbar unmittelbaren Zusammenhang her zwischen den Risikophänomenen in der Folge menschlicher Zivilisationstätigkeit und dem Bestand der Schöpfung überhaupt. Genauer betrachtet, argumentieren der Chefredakteur von "Bild der Wissenschaft", der den achten Schöpfungstag ansagt, und die Stimmen, die die "Zerstörung der Schöpfung" ansagen, auf derselben Ebene. Der theologische Widerspruch gilt beiden: Schöpfung ist in der jüdischen und christlichen Theologie ein Prädikat Gottes und nicht des Menschen. Und die "Bewahrung der Schöpfung" ist in der Theologie als Lehre von der "conservatio mundi" eine Aussage über Gott und nicht eine Aussage über die Fähigkeit des Menschen, die Schöpfung entweder zu erhalten und zu bewahren oder eben zu zerstören. Diesem Sachverhalt ist angesichts des sich verwirrenden Sprachgebrauchs Aufmerksamkeit zuzuwenden. Wenn nämlich dem Menschen die Fähigkeit zur "Zerstörung der Schöpfung" zugesprochen würde, müßte ihm eben damit auch die Fähigkeit zugestanden werden, in direkter Konkurrenz zu Gott tätig zu werden und damit über einen Willen und eine Fähigkeit zu verfügen, die Gott zumindest ebenbürtig sind und im gegebenen Falle auch überlegen sind. Das zu sagen wäre aber nach Kriterien christlicher Theologie der Fall einer fundamentalen Irrlehre, eine theologisch illegitime Desorientierung. Ich sage das so betont, weil nun gerade in den Kirchen die Neigung zu beobachten ist, mit einer freudigen Bedenkenlosigkeit, hier etwas nachzusprechen, was in dieser Form einer verantwortlichen theologischen Nachprüfung nicht standhält.

Der Einwand legt sich nahe, das religiöse Weltbild, in dem die Rede von der Schöpfung ihren ursprünglichen Ort hat und die wohldefinierte theologische Lehre der Schöpfung als Prädikat Gottes seien in einer Epoche der Menschheitsgeschichte ausgebildet worden, die noch nicht jene Folgeprobleme von Wissenschaft und Technik gekannt habe, unter deren Eindruck wir uns heute befinden. Das ist offenkundig zutreffend, aber überhaupt kein Argument, die Rede von der Bewahrung und Zerstörung der Schöpfung nun unmittelbar zur Stilisierung unserer Orientierungsprobleme handlungsorientiert einzusetzen. Es wäre eher ein Argument, das zur Zurückhaltung und Abstinenz in der Verwendung dieses Topos auffordern müßte.

Näher liegt da schon der Gedanke, daß die Situation, in der wir uns befinden, die verdiente Folge menschlicher Gottlosigkeit sei und die Zerstörung der Schöpfung deren folgerichtiges Ergebnis. Es ist ja gar nicht zu übersehen, daß in den Kirchen und in bestimmten Formen des religiösen Bewußtseins der Gegenwart die Tendenz besteht, die Phänomene der Krise auf das Konto einer "Welt ohne Gott" zu beziehen und bei dieser Gelegenheit der "Welt" die wohlverdiente Rechnung ihrer Gottlosigkeit zu präsentieren. Die entsprechenden missionarischen Ober- und Untertöne, mit denen dann auch ein globaler "Bewußtseinswandel" gefordert wird, weisen in die gleiche Richtung. In der moralischen Zuspitzung erhalten dann aber die Folgeprobleme der Zivilisation und die in sie eingeschlossenen Risiken den Charakter des Gerichts über den Menschen und die Urteile über Grenzen und Aufgaben von Wissenschaft und Technik werden konsequent in solche der Verurteilung überführt. Wer sich dagegen wehrt, belegt damit nur seine gott- und glaubenslose Uneinsichtigkeit und verfällt umso massiver dem Gericht. Die ökologische Krise wird zum endzeitlichen Tribunal.

Die Theologie muß vor diesem Weg schon deswegen warnen, weil sich die Kirchen, wenn sie darauf mitgehen, auf eine ruinöse Weise einer intellektuell noch verantwortbaren Rede und Verständigung begeben würden. Denn das muß ja klar sein: "Zerstörung der Schöpfung" als Deutekategorie für die Risiken der technisch-wissenschaftlichen Zivilisation besagt in der Konsequenz, daß jedenfalls Gott im Blick auf die Schöpfung zur Machtlosigkeit verurteilt wird. Die Vermutung, daß die Gottlosigkeit von Menschen die Ursache für die Krisenphänomene sei, führt unter der Hand zur Proklamation der Gottlosigkeit der Welt, der Ohnmacht Gottes und damit zur Verkündigung des Atheismus der Welt. Wie immer es mit dem neuzeitlichen Atheismus als Einstellung von Menschen und als Bewußtseinsphänomen bestellt sein mag, so ist es doch von anderer Qualität, wenn über die Rede von der "Zerstörung der Schöpfung" die Abwesenheit und das heißt ja die Nicht-Existenz Gottes kirchlicherseits gepredigt würde. Ich sage das bewußt so dramatisch, weil diese Folgerungen ja durchaus den gesellschaftlichen Umgang mit Technik und Wissenschaft betreffen und darin eine erkennbare Rolle zu spielen vermögen. Der gebotenen Pragmatik des Umgangs mit Risiken und Folgeproblemen wird auf diesem Wege jede vertrauenswürdige Grundlage entzogen. Die Hoffnung, daß die Menschheit allein durch eine moralische Kehrtwendung fundamentalen Stils vor dem Untergang gerettet werden könne, ist nach Kriterien christlicher Theologie irrig, denn sie unterstellt, daß die conservatio mundi, die Bewahrung der Schöpfung eine Funktion der moralischen Integrität der Menschheit sei und allein von ihr abhängig sei.

In dieser Hinsicht ist der Mythos, die biblische Erzählung vom noachitischen Bund durchaus zeitgemäß und zutreffend zitierungswürdig. Ich erinnere nur an die Bestände religiöser Bildung, wenn ich aus Genesis 6 und 8 zitiere, wo berichtet wird, daß Gott, der Schöpfer der Welt, wegen der Bosheit der Menschen beschließt, die große Flut über die vom Menschen bewohnte Erde loszulassen. Der Bericht führt dann zu dem Höhepunkt, der in der Aufrichtung des Regenbogens als Symbol für die nunmehr dauerhafte und moralunabhängige conservatio mundi gipfelt. Die Bibel legt so aus: "Ich will hinfort nicht mehr die Erde verfluchen um der Menschen willen; denn das Dichten des menschlichen Herzens ist böse von Jugend auf". Und der neue Bund lautet: "Solange die Erde steht, soll nicht aufhören Saat und Ernte, Frost und Hitze, Sommer und Winter, Tag und Nacht". Der theologisch entscheidende Gedanke ist dieser: Gott macht sich als Schöpfer und Erhalter der Welt unabhängig von den moralischen Urteilen und von der moralischen Beschaffenheit seines Geschöpfes, er macht den Bestand seiner Schöpfung nicht abhängig von der Güte des Menschen. Und das bedeutet eben, daß die Vertrauenswürdigkeit der Welt im Großen und Ganzen als von der moralischen Qualität des Menschen unabhängig zu denken sei.

Und eben dieses Vertrauen ist es auch, das in der Bergpredigt im Matthäusevangelium erneut zitiert wird, wenn es zur Erläuterung des Gebotes der Feindeliebe heißt: "Gott läßt seine Sonne aufgehen über die Guten und die Bösen und läßt regnen über Gerechte und Ungerechte". Die "Vollkommenheit" des Vaters im Himmel hat zu ihrer Voraussetzung gerade die Unabhängigkeit des Handelns und Wirkens Gottes von der moralischen Verfaßtheit der Menschen. Die Gottlosigkeit der Menschen führt nicht zur Gottverlassenheit der Welt. Und die Behauptung des Gegenteils läuft deswegen auf die Leugnung Gottes hinaus. An dieser prekären Stelle befinden wir uns heute, wenn man es einmal ernst nimmt, was es heißt, von der Schöpfung zu reden. Der nur scheinbare religionslose Pragmatismus von Wissenschaft und Technik erhält von da aus durchaus seinen tieferen Sinn.

Die Frage, was zu tun sei und wie mit den Risiken, Gefahren und Folgeproblemen in der Gesellschaft umzugehen sei, für sie ist es also von hoher Bedeutung, in welcher Weise die Verständigung darüber gesucht wird. Moralische Verurteilungen, religiöse Diffamierungen und pauschale Umkehrforderungen sind als Ausdruck einer kritischen Lage durchaus verständlich. Die Forderung, ein anderer Mensch müsse her, um die Welt als Schöpfung zu bewahren, hat alle Anzeichen einer plausiblen Radikalkur für sich. Aber in dem Maße, in dem damit dem konkreten und möglichen Umgang mit den uns bekannten Risiken die Vertrauensgrundlage entzogen wird, wird auch das religiöse und moralische Fundament destruiert, auf das sich solche Forderungen doch stützen. Wenn die

Kirchen nun gar die Tendenz befördern würden, daß die neuzeitliche Entwicklung von Technik und Naturwissenschaft auf einer fundamentalen moralischen und religiösen Fehlinformation beruhen, die "in radice" zu korrigieren sei, dann würde sie sich in strikten Gegensatz zu den Grundlagen dessen setzen, was sie zu predigen hat. Auf prinzipielles Mißtrauen läßt sich keine Ethik bauen.

Allerdings, Fehlschüsse sind in der gegenläufigen Richtung damit noch nicht ausgeschlossen. Das schon zitierte Wort aus der Bergpredigt, daß Gott seine Sonne aufgehen läßt über die Bösen und über die Guten und regnen läßt über Gerechte und Ungerechte, ist in der frühen Neuzeit, in der beginnenden Phase des modernen Risikobewußtseins von bibeltreuen Christen z.B. als Argumente gegen Risikoversicherungen verwendet worden. Alfred Müller-Armack hat im einzelnen gezeigt, wie die Verbreitung des Versicherungswesens hier auf Widerstände solcher Formen gestoßen ist, die in der Brandversicherung eine Maßnahme erblickten, dem von Gott geschickten Unheil und gottgewollten Widerfahrnissen seitens des Menschen in die Arme zu fallen. Auf den Punkt gebracht wurde dies in dem kuriosen Fall, in dem die Verwendung des Regenschirmes abgelehnt wurde mit Berufung auf Matth. 5,45.

Frommer rationalistischer Fehlschluß wäre es ja auch, wenn das Wort Jesu aus der Bergpredigt Matthäus 7: "Sorget nicht für Euer Leben, was Ihr essen und trinken werdet" – "Trachtet am ehesten nach dem Reiche Gottes und nach seiner Gerechtigkeit, so wird Euch solches alles zufallen", als Alternative zur Sozial- und Wirtschaftspolitik ins Feld geführt würde. Das Unverständnis für die Sprüche Jesu, wie sie in der Bergpredigt gesammelt worden sind, tritt ja immer dann auf, wenn sie als eine Anleitung für eine Sonderethik verstanden werden, die Regel und Normen für das Handeln enthalten, welche den Geboten der sittlichen Vernunft und der Lebenserfahrung strikt zuwiderlaufen. Dabei appellieren diese Worte Jesu ja ausdrücklich an die Klugheit und an die Erfahrung. Dort, wo es um die Bedingungen des Lebens überhaupt und in einem letztgültigen Sinne geht, und dafür steht ja das Symbol des Reiches Gottes, ist es nicht klug und auch nicht angemessen, sich so zu verhalten, wie in der alltäglichen Sorge um Speise und Kleidung, also in der Besorgtheit um die Erhaltungsbedingungen des irdischen Lebens. Und es ist ebenso unklug und unangemessen, den äußeren Lebensbedingungen einen Stellenwert im Selbstverständnis einzuräumen, als wären sie letztgültige Wirklichkeiten des Lebens überhaupt. Die Worte Jesu rufen zu einer Unterscheidungsfähigkeit auf, die das Handeln im Blick auf die Erhaltungsbedingungen und die Bestände weltlich irdischen Daseins heilsam und kritisch unterscheidet von der Haltung gegenüber den Beständen des Lebens, dessen Gelingen sich handelndem Verfügen in jedem Falle entzieht, und die sich darum des Vertrauens auf Gott allein zu vergewissern hat. Dieses Vertrauen begründet die entschiedene Unabhängigkeit von den fundamentalen Risiken des Lebens, aber nicht eine unmittelbare und darum törichte Handlungsanweisung für den praktischen Umgang mit diesen Risiken. Daraus folgt gerade nicht Sorglosigkeit als unkluge Bedenkenlosigkeit oder ihr Gegenteil, der besorgte Zwang, die irdischen Lebensführungsprobleme am Maßstabe des letztgültigen Gelingens des Lebens zu messen, welches allein im Vertrauen auf Gott wahrgenommen werden kann.

Die christliche Theologie hat in wohldefinierten Unterscheidungen darum darauf aufmerksam zu machen, daß die Predigt Jesu das Vertrauen auf Gott als den Schöpfer und Erhalter der Welt nicht dementiert und konterkariert, sondern den Menschen darauf anspricht, seine Lebensorientierung, die auf mehr aus ist, nämlich auf das Bestehen des Lebens überhaupt, im Maße der Vertrauenswürdigkeit der ihm anvertrauten Gaben und Bedingungen zu halten. Die Aufhebung dieser Unterscheidung etwa durch entschiedenes religiöses und christliches Bekenntnis als eine alternative Praxis zur Praxis der Besorgung von nützlichem und klugem Handeln ist darum gerade kein Zeugnis des christlichen Vertrauens, sondern der Ausdruck des Mißtrauens in die einzig uns handlungspraktisch zugängliche weltliche Vernunft.

Die theologische Lehre von der Schöpfung hat im Anschluß an den biblischen Schöpfungsbericht gelehrt, daß der Zweck der Schöpfung neben der Ehre Gottes und dieser zu- und untergeordnet in der "utilitas hominum" bestehe. Und Martin Luther hat in seiner Erklärung des ersten Artikels des Credo im Kleinen Katechismus ausgeführt: "Ich glaube, daß mich Gott geschaffen hat samt allen Kreaturen" und unter den Gaben des Schöpfers an die Menschen auch "Vernunft und alle Sinnen" aufgeführt. Heutige Auslegung wäre sehr wohl beraten, unter die dem Vernunftsgebrauch zuzurechnenden Gaben insoweit auch Technik und Wissenschaft zu rechnen. Damit ist in dieser Perspektive der religiösen Tradition jedenfalls auch angezeigt, daß der Umgang mit Risiken an die Klugheit und Vernunft zu adressieren sei, die sich immer nur in den Grenzen bewegen kann, die sie von sich aus überblicken und ermessen kann. Brauchbarkeit und Nutzen sind auch Kategorien, in deren Rahmen durchaus die Gesamtheit der Probleme einer Beurteilung zugänglich sind, die uns heute im Gefolge der historisch beispiellosen Entwicklung von Naturwissenschaft und Technik bedrängen. Dabei sollte es im Kontext des Christentums ebenso eine Selbstverständlichkeit sein, daß die fraglose Verbesserung der Lebensumstände z.B. in der meßbaren und erfahrbaren zunehmenden Unabhängigkeit des Menschen von unmittelbarer Abhängigkeit von Natur, als solche keine besseren Menschen hervorbringt. Im Blick auf das Menschenbild empfiehlt es sich jedenfalls, keinen unbegrenzten Perfektibilitätsvorstellungen nachzugeben. Daß der Mensch selbst der Risikofaktor Nr. 1 sei, das kann insofern auch in anderer Lesart eine Einsicht zum Ausdruck bringen, die jeder vernünftigen Selbsterkenntnis offensteht, wenn sie nur uneingeschränkt anerkannt wird. Sie eignet sich jedoch überhaupt nicht als Mittel für den gezielten und moralisch überhöhten Vorwurf, bestimmte Menschen, vorwiegend die Klasse der Naturwissenschaftler und Techniker seien davon betroffen und ein Risiko für den Rest der Menschheit. Wenn die Analyse auf die moralische Defizienz der Gesamtheit der Voraussetzungen zielt, dann wäre schwer einzusehen, worauf sich die Erwartung stützen sollte, daß die Menschheit insofern verbesserungsfähig sei.

Insofern ist es dann allerdings völlig zutreffend, daß Ethik das wichtigste Medium ist, um eine Verständigung darüber zu erzielen, wie wir zu den Chancen und Gefahren einer hochentwickelten Zivilisation Stellung nehmen sollen. Ethik spricht sich in Kategorien der Besinnung und der Stellungnahme aus, zu denen immer dann Anlaß gegeben ist, wenn die planmäßig angesteuerten Ziele des Handelns auf den nie gänzlich aufhebbaren Faktor der nicht beabsichtigten Folgen treffen, die sich zum planmäßigen Handeln kontingent verhalten. Hans Jonas hat angesichts der spezifischen Risiken von Wissenschaft und Technik in seinem Prinzip Verantwortung eine "Heuristik der Furcht" vorgeschlagen. Sie empfiehlt den Grundsatz "in dubio pro malo", d. h. unter den Bedingungen empirischer Ungewißheit hinsichtlich der Folgen die jeweils schlimmsten Folgen als wahrscheinlich anzunehmen. Als Prinzip und allgemeine Regel angewendet, müßte diese Empfehlung allerdings folgerichtigerweise bedeuten, in Folgen der Ungewißheit grundsätzlich nichts zu tun. Das wäre natürliche keine kluge Weise des Umganges mit Risiken, weil auch im Falle, in dem ein Handeln unterlassen wird, ersichtlich nicht das Risiko der Folgen des unterlassenen Handelns ausgeschlossen werden kann. Risikovermeidung durch Verzicht ist eine zwar populäre Forderung, aber doch eine Formel der Ohnmacht. Verzicht ist und war allerdings schon immer ein attraktiver Ratschlag, der in den verschiedensten Idealen der Askese praktiziert worden ist. In der alten Morallehre hat die Enthaltsamkeit als Ratschlag Tradition, um den Verirrungen, Versuchungen und Fehlwegen aktiver Lebenspraxis zu entgehen. Die Sorge um moralische Integrität hat dabei letztlich das Mißtrauen zu ihrem Ratgeber. In einer durch Technik und Wissenschaft bestimmten Welt ist das Unterlassen die Preisgabe der uns angegebenen Möglichkeiten mit Risiken und Gefahren umzugehen. Die protestantische Ethik hat sich immer dagegen gewandt, unter Ethik eine solche Planbarkeit der Lebenspraxis zu verstehen, die als solche die Gesamtheit der Lebensbedingungen widerstandsfrei dem guten Willen beherrschbar machen könnte. Sie hat statt dessen Ethik als die in bestimmte konkrete Aufgaben eines Berufs, einer Arbeit, eines Auftrages eingelassene Verantwortung verstanden.

Was wir heute und gegenwärtig zu erkunden haben, ist als Folge einer beispiellosen Expansion unserer technischen Möglichkeiten und einer ebenso beispiellosen Steigerung des daraus resultierenden Nutzens (Massenwohlstand) den proportional dazu gesteigerten Risiken ungeschmälert und ehrlich, aber ohne metaphysische Furcht entgegenzutreten. Der aus verständlichen Gründen aber oft mit der unerwiesenen Behauptung eines Wissensvorsprungs betriebenen Dramatisierung der Zustände und Gefahren muß doch immer wieder eine gezielte Entdramatisierung entgegenwirken, damit das kluge und nützlicherweise zu Tuende getan werden kann und nicht vor der Forderung nach der großen und alles betreffenden Lösung als zu gering erscheint und deswegen diskreditiert wird. Im Blick darauf ist es schon mehr als eine Randfrage, ob die Vertrauenskräfte des Christentums und der Religion dem Bestehen dieser Aufgabe zugeführt werden und zugute kommen oder ob sie ihm programmatisch entzogen werden.

Die Bewahrung der Schöpfung – und damit kehre ich an den Ausgangspunkt zurück – dieser Topos soll darum in erster Linie ein Grundvertrauen ausdrücken, das seinen handlungspraktischen Sinn darin erweisen soll, daß es sich nüchtern und realistisch in der Aufgabe ausspricht, eben die natürliche Umwelt des Menschen zu erhalten. Die Sorge ums Ganze, das niemand und keiner ernsthaft und wirksam zu besorgen vermag, muß sich in der Klugheit des pragmatischen Weltumganges im Einzelnen und ad usum hominum realisieren. Die Ethik liefert dafür keine Blaupause, die abgesehen von den konkreten Aufgaben und Herausforderungen entworfen und konzipiert werden könnte. Sie muß sich als Prozeß einer Beratung vollziehen, deren einzige Voraussetzung ist, daß die konkrete Situation, in der wir uns befinden, das Gemeinsame konstituiert, von dem keiner ausgeschlossen ist und von dem sich keiner ausschließen kann. In diesem Sinne mag dann gelten: "Es ist genug, daß ein jeder Tag seine eigene Plage habe".

Verzeichnis der Mitarbeiter

Dr.rer. nat. EBERHARD FRANCK
Direktor der Allianz Versicherungs-AG, München
Geschäftsführer des Allianz-Zentrums für Technik GmbH

Dr.-Ing. GERHARD HOSEMANN
Univ. Professor an der Universität Erlangen-Nürnberg

Dr. rer. pol. GERT VON KORTZFLEISCH
Univ. Professor an der Universität Mannheim

ERNST KUTSCHEIDT
Präsident des Verwaltungsgerichts Köln

Dr. phil. HERMANN LÜBBE
o. Professor für Philosophie und politische Theorie an der Universität Zürich

Dr. theol. TRUTZ RENDTORFF
Univ. Professor an der Universität München

Dr. rer. pol. ORTWIN RENN
Professor an der Clark University Worcester, Mass., USA
Environment, Technology and Society Program

zum selben Thema . . .

Energie - Umwelt - Gesellschaft

Sechs Vorträge
herausgegeben von
E. Finckh
G. Hosemann
E. Wirth

Erlanger Forschungen
Reihe B
Naturwissenschaften
und Medizin
Band 9
Erlangen 1981

Auslieferung: Universitäts-Bibliothek Erlangen-Nürnberg

172 S., zahlreiche Abb. ISBN 3-922135-21-8   DM 32,--

... Die mit viel interessantem Tatsachenmaterial angereicherten Vorträge können zur Versachlichung der heute vielfach ideologisch geführten Diskussion zur Frage nach Sinn und Wert der technischen Entwicklung beitragen.

PTB-Mitteilungen 91 5/81

... Unter den vielen Büchern zu Energiefragen ist dieses eines der lesenswerten.

ZVEI-Mitteilungen 23-24/81

Auf der Suche nach neuen Energiequellen Möglichkeiten und Probleme

Sieben Vorträge
herausgegeben von
G. Hosemann
E. Finckh

Erlanger Forschungen
Reihe B
Naturwissenschaften
und Medizin
Band 12
Erlangen 1982

Auslieferung: Universitäts-Bibliothek Erlangen-Nürnberg

202 S. zahlreiche Abb. ISBN 3-922135-28-5   DM 36,--

... mit didaktischem Geschick haben es die international anerkannten Autoren verstanden, die komplexen Grundlagen und Probleme der modernen Energetik klar und verständlich darzulegen.

Die Wasserwirtschaft 4/84

... das Buch ist für alle, die sich mit moderner Energetik beschäftigen und sich über dieses umfassende Gebiet einen Überblick verschaffen wollen, eine kaum zu ersetzende Hilfe.

Versorgungswirtschaft 5/83

Vorsorge für die Umwelt

Neun Vorträge
herausgegeben von
G. Hosemann
E. Finckh

Erlanger Forschungen
Reihe B
Naturwissenschaften
und Medizin
Band 14
Erlangen 1984

Auslieferung: Universitäts-Bibliothek Erlangen-Nürnberg

204 S., zahlreiche Abb. ISBN 3-922135-35-8   DM 36,--

... Dieses Buch trägt sicherlich dazu bei, bewahrendes Denken und fortschrittliches Handeln zum beidseitigen Nutzen miteinander zu verbinden.

Mensch und Energie 2/85

... soll dazu beitragen, Verständnis für die komplexen Vorgänge in unserer Umwelt in ausgewogener und gut verständlicher Form zu vermitteln

EN 7/85

Natürliche und künstliche Strahlung in der Umwelt
Eine Bilanz vor und nach Tschernobyl

Acht Beiträge
herausgegeben von
G. Hosemann

Erlanger Forschungen
Reihe B
Naturwissenschaften
und Medizin
Band 17
Erlangen 1987

Auslieferung: Universitäts-Bibliothek Erlangen-Nürnberg

130 S., zahlreiche Abb. ISBN 3-922135-50-1   DM 25,--

... für alle, die sich objektiv mit der Materie beschäftigen wollen, für alle, die objektiv informiert werden wollen und für alle, die viel diskutieren ... unerläßlich.

DS – Der Sachverständige 1988/5

... Der Leser mag dem Buch nicht nur Zahlen und Fakten entnehmen. Er erkennt, daß eine Verständigung selbst bei schwierigen naturwissenschaftlich-technischen Problemen über fachliche Grenzen hinweg möglich ist.

Versorgungswirtschaft 1988/1